NAYA   ESPAÑOL LENGUA EXTRANJERA

en *verbos*

Modelos de conjugación **prácticos**
regulares e irregulares

Gloria Caballero González

ANAYA ñ ELE

Diseño del proyecto: Milagros Bodas, Sonia de Pedro

© Del texto: Gloria Caballero González
© De esta edición: Grupo Anaya, S.A., 2006,
  Juan Ignacio Luca de Tena, 15 -28027 Madrid

3.ª Reimpresión: 2011

Depósito legal: M-49.036-2011
ISBN: 978-84-667-8686-7
Printed in Spain

Imprime: Huertas Industrias Gráficas, S.A.

Coordinación y edición: Milagros Bodas, Sonia de Pedro
Diseño de interiores y maquetación: Ángel Guerrero
Diseño de cubierta: Fernando Chiralt
Corrección: Manuel Pérez

Las normas ortográficas seguidas en este libro son las establecidas por la Real Academia
Española en su última edición de la *Ortografía*.

PRESENTACIÓN

Anaya ELE  es una colección temática diseñada para aunar teoría y práctica en distintos ámbitos de la enseñanza de Español como Lengua Extranjera. Su objetivo es ofrecer un material útil donde la teoría se combine de forma coherente con la práctica y permita al alumno una ejercitación formal y contextualizada a través de actividades amenas y variadas, teniendo en cuenta siempre el **uso** de los contenidos que se practiquen.

Con este libro dedicado a los **verbos,** en un único volumen, se presenta un **referente** destinado a estudiantes de todos los niveles. Se incluyen paradigmas conjugados y un listado de 3.500 verbos de uso con referencia a su modelo de conjugación.

Anaya ELE ofrece además una serie dedicada a la **gramática,** al **vocabulario** y a la **fonética,** estructurada en tres niveles y adaptada al Plan Curricular del Instituto Cervantes.

En todos los manuales **se incluyen las claves** de los ejercicios; de esta forma se constituye en una herramienta eficaz para ser utilizada en el aula o en el **autoaprendizaje**.

Anaya ELE pone al alcance del estudiante de español como lengua extranjera un material de trabajo que le sirve de complemento a cualquier método.

ÍNDICE

CÓMO MOVERSE POR ESTE LIBRO

ANAYA ELE 🔵 *Verbos* es un manual de conjugación de fácil manejo pensado para el estudiante de Español como Lengua Extranjera. En su elaboración se han tenido en cuenta las dificultades con las que se encuentra un estudiante extranjero a la hora de enfrentarse a los diferentes tipos de irregularidades que presenta la conjugación verbal en español. Por ello, pretende ser una herramienta de consulta útil y segura ante todas aquellas dudas que puedan surgirle durante su proceso de aprendizaje.

ANAYA ELE 🔵 *Verbos* es un libro **práctico** que obedece precisamente al deseo de limitar el campo de los paradigmas verbales a aquellos que realmente puedan ser utilizados por un hablante no nativo, tanto en un registro culto como en un registro coloquial. Por ese motivo, se han excluido todos aquellos verbos que incluso para un hablante nativo podrían resultar desconocidos o poco usuales.

Para llevar a cabo la selección de los modelos de conjugación, así como de los infinitivos del listado final, se ha dado prioridad en todo momento al aspecto práctico de los mismos. Ello explica la abundancia de verbos regulares que aparecen conjugados, puesto que se consideran de uso básico e imprescindible para un estudiante de ELE. Por la misma razón, se ha hecho hincapié en las irregularidades más comunes conjugando varios paradigmas para el mismo tipo de irregularidad.

Ejemplo   Para la irregularidad O > UE se conjugan varios verbos *(acordarse, cocer, aprobar,* etc.).

ESTRUCTURA

• El libro está dividido en cuatro partes claramente diferenciadas:

1. **Verbos conjugados**
2. **Actividades**
3. **Índice alfabético de verbos**
4. **Soluciones**

I. Verbos conjugados

• Se han conjugado 130 verbos regulares e irregulares ordenados alfabéticamente, todos ellos de uso habitual salvo en algún caso en el que se han incluido paradigmas de uso menos frecuente para contemplar una determinada irregularidad (*mecer, sumergir*).

Cada modelo de conjugación lleva un número en la parte superior al que nos remitirá el listado alfabético final; listado en el cual aparecen en negrita los verbos conjugados como modelo.

Está comprobado que frecuentemente a los alumnos les resulta difícil conjugar verbos diferentes a los que se presentan como modelo, a pesar de que pertenezcan a la misma irregularidad.

Ejemplo   Para la irregularidad E > I, aunque el modelo sea el verbo *pedir* se han conjugado otros infinitivos como *reír, repetir, preferir*, etc.

• Se ha optado por no conjugar el verbo *haber*. Se trata de un verbo de capital importancia dado que es un verbo auxiliar; sin embargo, al ser un verbo vacío de significado, y puesto que ya está conjugado en todos los tiempos compuestos se ha suprimido, ya que no se trata de un verbo de "uso" propiamente dicho, sino de una herramienta de conjugación.

• En este manual se le ha dado una importancia especial al modo imperativo, por esa razón se ha incluido la forma negativa de todas las personas. Es indiscutible que las pautas para la comprensión y la formación del imperativo debe darlas preferentemente el profesor, pero en el caso de que el estudiante no cuente con ese apoyo, se considera de gran utilidad tenerlas como referencia.

En este apartado se ha incluido a pie de página una sección, TÉRMINOS Y EXPRESIONES, con información de tipo léxico donde se incluyen el propio verbo en su uso pronominal (si lo tiene) y la preposición con la que suele construirse, así como sustantivos, adjetivos derivados del verbo, adverbios y **expresiones idiomáticas**. Dado que no se trata de un diccionario de frases hechas, solo se han seleccionado las de uso más frecuente.

LOS TIEMPOS SELECCIONADOS

• Se han suprimido de este manual el pretérito anterior de indicativo y los futuros de subjuntivo. Ello obedece a que los futuros del modo subjuntivo apenas son usados por los hablantes nativos, su uso ha quedado relegado al lenguaje jurídico-administrativo y no se emplean en la lengua oral, salvo en fórmulas legales y en un reducido número de frases coloquiales.

El pretérito anterior es un tiempo en desuso que en la lengua común es sustituido normalmente por el pretérito pluscuamperfecto o por el pretérito indefinido.

• Con el fin de evitar confusiones con la **terminología** para nombrar los diferentes tiempos, estos se han simplificado al máximo, de forma que se ha preferido el empleo de "pretérito indefinido" en lugar de "pretérito perfecto simple", de esta forma, el estudiante asociará el término "perfecto" a los tiempos compuestos. Del mismo modo, los futuros y los condicionales aparecen con el término "perfecto" en lugar de "compuesto". Esta unificación de todos los tiempos compuestos bajo la denominación de "perfecto" se ha hecho con el propósito de facilitar la comprensión y evitar ambigüedades y confusiones.

2. Actividades

Este apartado está dividido en once puntos que corresponden a aquellos aspectos del verbo que presentan mayores dificultades a la hora de **aprender** y **fijar** su morfología. Se trata de actividades estructurales y lúdicas para que el estudiante se ejercite de una forma deductiva en las irregularidades más complejas.

3. Índice alfabético de verbos

Se recogen cerca de 3.500 verbos. Al lado de cada infinitivo aparece un número que corresponde a su modelo de conjugación. En algunos verbos aparece un segundo número de referencia. Si este número aparece entre paréntesis se está señalando un cambio puramente ortográfico, no de etimología verbal:

Ejemplo 1 *empezar* → 25 (19): significa que posee la irregularidad vocálica E > IE del modelo *cerrar,* 25, y la ortografía Z > C del modelo *bostezar* (19).

Si el segundo número aparece separado por comas del primero se están señalando irregularidades morfológicas en el verbo y se recogerán por orden numérico.

Ejemplo 2 *anochecer* → 34, 84: significa que posee la irregularidad consonántica C > ZC, 34, del verbo *conocer,* y al mismo tiempo se trata de un verbo unipersonal como *nevar,* 84, del que solo se conjuga la tercera persona.

- Junto a algunos infinitivos aparece la preposición (o las preposiciones) que rige el verbo.

- En los verbos en que aparece el número acompañado de un asterisco **(*),** este indica una peculiaridad en la formación de la tercera persona del plural del pretérito indefinido y del pretérito imperfecto de subjuntivo. En ellos la **-i-** de esta forma conjugada desaparece:

Ejemplo *gruñir* → *ellos/ -as gruñeron; ellos/ -as gruñeran*
        teñir → *ellos/ -as tiñeron; ellos/ -as tiñeran*

- Por último, se recogen entre paréntesis los participios que no coinciden con el modelo de verbo conjugado al que se remite.

4. Soluciones

Las claves de los ejercicios se presentan al final del libro.

VERBOS DEFECTIVOS

• Se trata de un grupo de verbos cuya conjugación es incompleta, es decir, que no se pueden conjugar en todas las personas ni en todos los tiempos. Muchos de ellos solo se utilizan en las terceras personas del singular y del plural, así como en las formas no personales del verbo.

- En el listado alfabético de verbos, al lado de estos aparece la abreviatura **def.** y a su lado un número que corresponde al modelo regular o irregular al que pertenecen.

Ejemplo *acontecer* → def. 34, 35, que significa que en algunos de los tiempos y personas en los que se conjuga tiene la irregularidad C > ZC, y le sirve de referencia el verbo *conocer,* 34, y además que solo se conjuga en las terceras personas de singular y plural, como *consistir,* 35.

VERBOS ATMOSFÉRICOS

- Se han incluido en el listado final los verbos atmosféricos o meteorológicos, que solo se conjugan en 3.ª persona del singular, y se han remitido al modelo de *nevar*.

VERBOS IRREGULARES

Posiblemente la gran cantidad de verbos irregulares que posee la conjugación española sea una de las dificultades más importantes con las que se encuentra un estudiante de ELE. Las lenguas de origen latino poseen muchos tiempos verbales y, como sucede en el caso de los pasados, cuenta con varios tiempos para expresarlos.

Esta riqueza verbal supone para los estudiantes un auténtico reto no solo para usarlos correctamente, sino también para conjugarlos y aprenderlos.

Existen algunas reglas que pueden ayudar a agrupar estas irregularidades. Normalmente cuando un verbo es irregular en un tiempo concreto, suele conservar la misma irregularidad en otros tiempos aunque no siempre en las mismas personas.

A continuación aparecen agrupados los tiempos verbales en los que se mantiene la misma irregularidad.

1. Irregularidad en presente de indicativo, presente de subjuntivo y en el imperativo. **Ejemplo** *duermo, duermas, duerme (tú).*

2. Irregularidad en pretérito indefinido y pretérito imperfecto de subjuntivo. **Ejemplo** *supe, supiera o supiese.*

3. Irregularidad en el futuro y condicional. **Ejemplo** *tendré, tendría.*

Las irregularidades verbales pueden ser de cuatro tipos

1. vocálicas

    1.1. Por diptongación vocálica:

        e > ie: p**e**nsar → p**ie**nso

        o > ue: c**o**ntar → c**ue**nto

    1.2. Por cambio vocálico:

        o > u: p**o**der → p**u**de

        e > i: m**e**dir → m**i**dió

    1.3. Por incremento de vocal:

        estar → esto**y**

2. consonánticas

    2.1. Por incremento de consonante:

        salir → sal**g**o

    2.2. Por sustitución de una consonante por otra:

        ha**c**er → ha**g**o

3. mixtas

    3.1. Por pérdida de consonantes y de vocales:

        haber → he

    3.2. Por sustitución de vocales y consonantes por otras distintas:

        c**ab**er → c**up**e

4. totales

Verbos que cambian totalmente su forma de infinitivo al ser conjugados en algunos tiempos.

        ser → fui

        ir → voy

NOTA No se consideran irregularidades las variaciones acentuales o prosódicas. **Ejemplo** ia > ia (cam**biar**, él cam**bia**); o ia > ía (des-**viar**, él des**vía**); ua > úa (ac**tuar**, él ac**túa**); au > aú (**au**nar, él a**ú**na)…; por ello no se han incluido modelos de conjugación de este tipo.

EL VOSEO

- Se trata de una variante hispanoamericana, especialmente generalizada en Argentina, que consiste en el uso del pronombre "vos" donde nosotros usamos "tú". Se conjuga con la segunda persona del singular: **vos** *comés,* en lugar de **tú** *comes.*

Debido a las alteraciones acentuales y de diptongación que sufren las formas verbales en algunos tiempos al someterse a este fenómeno, se ha preferido simplemente hacer una mención de él, y no transcribirlas en los paradigmas conjugados, con el fin de evitarle una confusión mayor al estudiante.

Ejemplo *vos* **tenés**, en lugar de *tú* **tienes**.

- En cuanto a la acentuación de verbos como *reír, fiar, huir,* etc., en sus formas verbales *rió, riáis, fié, fiáis, huí, riáis,* se ha tenido en cuenta su pronunciación bisílaba; si bien hay zonas de Hispanoamérica donde estas mismas formas verbales se hacen monosílabas.

NOCIONES GENERALES SOBRE EL VERBO

- El verbo está formado por una **raíz** o **lexema,** que es la parte que nos da la significación del verbo, y por un morfema llamado **desinencia** (morfemas flexivos) que es la parte que aporta información sobre la persona, el número, el tiempo y el modo.

Ejemplo **estud-** (lexema o raíz), **-iábamos** (desinencia): primera persona del plural del pretérito imperfecto del modo indicativo.

Las conjugaciones

Todos los verbos de la conjugación española pertenecen a una de estas tres conjugaciones, dependiendo de la terminación de su infinitivo:

1.ª conjugación: verbos que acaban en **-AR**

2.ª conjugación: verbos que acaban en **-ER**

3.ª conjugación: verbos que acaban en **-IR**

Los números verbales

Son dos:

Singular → yo, tú, él, ella, usted

Plural → nosotros/ -as, vosotros/ -as, ellos/ -as, ustedes

Las personas

Son seis en todos los tiempos (salvo en el modo imperativo, en el que no existen las personas yo, él, ella, ellos/ -as):

1.ª persona del singular → **yo**

2.ª persona del singular → **tú**

3.ª persona del singular → **él, ella, usted**

1.ª persona del plural → **nosotros/ -as**

2.ª persona del plural → **vosotros/ -as**

3.ª persona del plural → **ellos/ -as, ustedes**

Aunque las formas de *usted* / *ustedes* son la correspondencia formal de los pronombres *tú* y *vosotros*, a la hora de ser conjugados concuerdan con las terceras personas.

Ejemplo *usted come.*

Los tiempos verbales

1. Presente

2. Pasado o pretérito

3. Futuro

Los modos verbales

1. Indicativo

2. Subjuntivo

3. Imperativo

Formas simples Tiempos formados por una sola forma verbal.

1. Las formas personales

indicativo: presente, pretérito imperfecto, futuro simple, condicional simple.

subjuntivo: presente, pretérito imperfecto.

imperativo

2. Las formas no personales

infinitivo simple

gerundio simple

participio simple

Formas compuestas Se forman con el verbo auxiliar *haber* + participio del verbo que se conjuga.

1. Las formas personales

indicativo: pretérito perfecto, pretérito pluscuamperfecto, futuro perfecto, condicional perfecto.

subjuntivo: pretérito perfecto, pretérito pluscuamperfecto.

2. Las formas no personales

infinitivo compuesto

gerundio compuesto

Verbos conjugados
por orden alfabético

1 ABRIR

GERUNDIO: abriendo
G. COMPUESTO: habiendo abierto

PARTICIPIO: abierto
INF. COMPUESTO: haber abierto

INDICATIVO

T. SIMPLES

PRESENTE

abro
abres
abre
abrimos
abrís
abren

PRETÉRITO IMPERFECTO

abría
abrías
abría
abríamos
abríais
abrían

PRETÉRITO INDEFINIDO

abrí	abrimos
abriste	abristeis
abrió	abrieron

FUTURO

abriré
abrirás
abrirá
abriremos
abriréis
abrirán

CONDICIONAL

abriría
abrirías
abriría
abriríamos
abriríais
abrirían

T. COMPUESTOS

PRETÉRITO PERFECTO

he abierto
has abierto
ha abierto
hemos abierto
habéis abierto
han abierto

PRET. PLUSCUAMPERFECTO

había abierto
habías abierto
había abierto
habíamos abierto
habíais abierto
habían abierto

FUTURO PERFECTO

habré abierto
habrás abierto
habrá abierto
habremos abierto
habréis abierto
habrán abierto

CONDICIONAL PERFECTO

habría abierto
habrías abierto
habría abierto
habríamos abierto
habríais abierto
habrían abierto

SUBJUNTIVO

TIEMPOS SIMPLES

PRESENTE

abra
abras
abra
abramos
abráis
abran

PRET. IMPERFECTO

abriera o abriese
abrieras o abrieses
abriera o abriese
abriéramos o abriésemos
abrierais o abrieseis
abrieran o abriesen

TIEMPOS COMPUESTOS

PRET. PERFECTO

haya abierto
hayas abierto
haya abierto
hayamos abierto
hayáis abierto
hayan abierto

PRET. PLUSCUAMPERFECTO

hubiera o hubiese abierto
hubieras o hubieses abierto
hubiera o hubiese abierto
hubiéramos o hubiésemos abierto
hubierais o hubieseis abierto
hubieran o hubiesen abierto

IMPERATIVO

abre tú/ no abras
abrid vosotros/ no abráis
abramos nosotros/ no abramos
abra usted/ no abra
abran ustedes/ no abran

TÉRMINOS Y EXPRESIONES

El abridor
La abertura
La apertura
En un abrir y cerrar de ojos – *rápidamente*

INDICATIVO

T. SIMPLES

PRESENTE

me acerco
te acercas
se acerca
nos acercamos
os acercáis
se acercan

PRETÉRITO IMPERFECTO

me acercaba
te acercabas
se acercaba
nos acercábamos
os acercabais
se acercaban

PRETÉRITO INDEFINIDO

me acerqué   nos acercamos
te acercaste   os acercasteis
se acercó   se acercaron

FUTURO

me acercaré
te acercarás
se acercará
nos acercaremos
os acercaréis
se acercarán

CONDICIONAL

me acercaría
te acercarías
se acercaría
nos acercaríamos
os acercaríais
se acercarían

T. COMPUESTOS

PRETÉRITO PERFECTO

me he acercado
te has acercado
se ha acercado
nos hemos acercado
os habéis acercado
se han acercado

PRET. PLUSCUAMPERFECTO

me había acercado
te habías acercado
se había acercado
nos habíamos acercado
os habíais acercado
se habían acercado

FUTURO PERFECTO

me habré acercado
te habrás acercado
se habrá acercado
nos habremos acercado
os habréis acercado
se habrán acercado

CONDICIONAL PERFECTO

me habría acercado
te habrías acercado
se habría acercado
nos habríamos acercado
os habríais acercado
se habrían acercado

SUBJUNTIVO

TIEMPOS SIMPLES

PRESENTE

me acerque
te acerques
se acerque
nos acerquemos
os acerquéis
se acerquen

PRET. IMPERFECTO

me acercara o acercase
te acercaras o acercases
se acercara o acercase
nos acercáramos o acercásemos
os acercarais o acercaseis
se acercaran o acercasen

TIEMPOS COMPUESTOS

PRET. PERFECTO

me haya acercado
te hayas acercado
se haya acercado
nos hayamos acercado
os hayáis acercado
se hayan acercado

PRET. PLUSCUAMPERFECTO

me hubiera o hubiese acercado
te hubieras o hubieses acercado
se hubiera o hubiese acercado
nos hubiéramos o hubiésemos acercado
os hubierais o hubieseis acercado
se hubieran o hubiesen acercado

IMPERATIVO

acércate tú/ no te acerques
acercaos vosotros/ no os acerquéis
acerquémonos nosotros/ no nos acerquemos
acérquese usted/ no se acerque
acérquense ustedes/ no se acerquen

 TÉRMINOS Y EXPRESIONES

Acercar   La cercanía
El acercamiento   El cerco
La cerca   Cercar a alguien – *rodear*
El cercado

3 ACERTAR

GERUNDIO: acertando **PARTICIPIO:** acertado
G. COMPUESTO: habiendo acertado **INF. COMPUESTO:** haber acertado

INDICATIVO

T. SIMPLES

PRESENTE
acierto
aciertas
acierta
acertamos
acertáis
aciertan

PRETÉRITO IMPERFECTO
acertaba
acertabas
acertaba
acertábamos
acertabais
acertaban

PRETÉRITO INDEFINIDO
acerté	acertamos
acertaste	acertasteis
acertó	acertaron

FUTURO
acertaré
acertarás
acertará
acertaremos
acertaréis
acertarán

CONDICIONAL
acertaría
acertarías
acertaría
acertaríamos
acertaríais
acertarían

T. COMPUESTOS

PRETÉRITO PERFECTO
he acertado
has acertado
ha acertado
hemos acertado
habéis acertado
han acertado

PRET. PLUSCUAMPERFECTO
había acertado
habías acertado
había acertado
habíamos acertado
habíais acertado
habían acertado

FUTURO PERFECTO
habré acertado
habrás acertado
habrá acertado
habremos acertado
habréis acertado
habrán acertado

CONDICIONAL PERFECTO
habría acertado
habrías acertado
habría acertado
habríamos acertado
habríais acertado
habrían acertado

SUBJUNTIVO

TIEMPOS SIMPLES

PRESENTE
acierte
aciertes
acierte
acertemos
acertéis
acierten

PRET. IMPERFECTO
acertara o acertase
acertaras o acertases
acertara o acertase
acertáramos o acertásemos
acertarais o acertaseis
acertaran o acertasen

TIEMPOS COMPUESTOS

PRET. PERFECTO
haya acertado
hayas acertado
haya acertado
hayamos acertado
hayáis acertado
hayan acertado

PRET. PLUSCUAMPERFECTO
hubiera o hubiese acertado
hubieras o hubieses acertado
hubiera o hubiese acertado
hubiéramos o hubiésemos acertado
hubierais o hubieseis acertado
hubieran o hubiesen acertado

IMPERATIVO

acierta tú/ no aciertes
acertad vosotros/ no acertéis
acertemos nosotros/ no acertemos
acierte usted/ no acierte
acierten ustedes/ no acierten

 TÉRMINOS Y EXPRESIONES

Acertar a – *conseguir*   El acierto
Acertar con – *atinar*   Acertadamente
El/ la acertante   Ciertamente
El acertijo

GERUNDIO: acompañando **PARTICIPIO:** acompañado
G. COMPUESTO: habiendo acompañado **INF. COMPUESTO:** haber acompañado

ACOMPAÑAR 4

INDICATIVO

T. SIMPLES

PRESENTE
acompaño
acompañas
acompaña
acompañamos
acompañáis
acompañan

PRETÉRITO IMPERFECTO
acompañaba
acompañabas
acompañaba
acompañábamos
acompañabais
acompañaban

PRETÉRITO INDEFINIDO
acompañé   acompañamos
acompañaste   acompañasteis
acompañó   acompañaron

FUTURO
acompañaré
acompañarás
acompañará
acompañaremos
acompañaréis
acompañarán

CONDICIONAL
acompañaría
acompañarías
acompañaría
acompañaríamos
acompañaríais
acompañarían

T. COMPUESTOS

PRETÉRITO PERFECTO
he acompañado
has acompañado
ha acompañado
hemos acompañado
habéis acompañado
han acompañado

PRET. PLUSCUAMPERFECTO
había acompañado
habías acompañado
había acompañado
habíamos acompañado
habíais acompañado
habían acompañado

FUTURO PERFECTO
habré acompañado
habrás acompañado
habrá acompañado
habremos acompañado
habréis acompañado
habrán acompañado

CONDICIONAL PERFECTO
habría acompañado
habrías acompañado
habría acompañado
habríamos acompañado
habríais acompañado
habrían acompañado

SUBJUNTIVO

TIEMPOS SIMPLES

PRESENTE
acompañe
acompañes
acompañe
acompañemos
acompañéis
acompañen

PRET. IMPERFECTO
acompañara o acompañase
acompañaras o acompañases
acompañara o acompañase
acompañáramos o acompañásemos
acompañarais o acompañaseis
acompañaran o acompañasen

TIEMPOS COMPUESTOS

PRET. PERFECTO
haya acompañado
hayas acompañado
haya acompañado
hayamos acompañado
hayáis acompañado
hayan acompañado

PRET. PLUSCUAMPERFECTO
hubiera o hubiese acompañado
hubieras o hubieses acompañado
hubiera o hubiese acompañado
hubiéramos o hubiésemos acompañado
hubierais o hubieseis acompañado
hubieran o hubiesen acompañado

IMPERATIVO

acompaña tú/ no acompañes
acompañad vosotros/ no acompañéis
acompañemos nosotros/ no acompañemos
acompañe usted/ no acompañe
acompañen ustedes/ no acompañen

 TÉRMINOS Y EXPRESIONES

El acompañamiento   El compañero/ la compañera
El/ la acompañante   La compañía

ACORDARSE DE

GERUNDIO: acordándose   **PARTICIPIO:** acordado
G. COMPUESTO: habiéndose acordado   **INF. COMPUESTO:** haberse acordado

INDICATIVO

T. SIMPLES

PRESENTE

me acuerdo
te acuerdas
se acuerda
nos acordamos
os acordáis
se acuerdan

PRETÉRITO IMPERFECTO

me acordaba
te acordabas
se acordaba
nos acordábamos
os acordabais
se acordaban

PRETÉRITO INDEFINIDO

me acordé	nos acordamos
te acordaste	os acordasteis
se acordó	se acordaron

FUTURO

me acordaré
te acordarás
se acordará
nos acordaremos
os acordaréis
se acordarán

CONDICIONAL

me acordaría
te acordarías
se acordaría
nos acordaríamos
os acordaríais
se acordarían

T. COMPUESTOS

PRETÉRITO PERFECTO

me he acordado
te has acordado
se ha acordado
nos hemos acordado
os habéis acordado
se han acordado

PRET. PLUSCUAMPERFECTO

me había acordado
te habías acordado
se había acordado
nos habíamos acordado
os habíais acordado
se habían acordado

FUTURO PERFECTO

me habré acordado
te habrás acordado
se habrá acordado
nos habremos acordado
os habréis acordado
se habrán acordado

CONDICIONAL PERFECTO

me habría acordado
te habrías acordado
se habría acordado
nos habríamos acordado
os habríais acordado
se habrían acordado

SUBJUNTIVO

TIEMPOS SIMPLES

PRESENTE

me acuerde
te acuerdes
se acuerde
nos acordemos
os acordéis
se acuerden

PRET. IMPERFECTO

me acordara o acordase
te acordaras o acordases
se acordara o acordase
nos acordáramos o acordásemos
os acordarais o acordaseis
se acordaran o acordasen

TIEMPOS COMPUESTOS

PRET. PERFECTO

me haya acordado
te hayas acordado
se haya acordado
nos hayamos acordado
os hayáis acordado
se hayan acordado

PRET. PLUSCUAMPERFECTO

me hubiera o hubiese acordado
te hubieras o hubieses acordado
se hubiera o hubiese acordado
nos hubiéramos o hubiésemos acordado
os hubierais o hubieseis acordado
se hubieran o hubiesen acordado

IMPERATIVO

acuérdate tú/ no te acuerdes
acordaos vosotros/ no os acordéis
acordémonos nosotros/ no nos acordemos
acuérdese usted/ no se acuerde
acuérdense ustedes/ no se acuerden

 TÉRMINOS Y EXPRESIONES

El acuerdo/ el desacuerdo
Acordar algo – *ponerse de acuerdo*

GERUNDIO: acostándose   PARTICIPIO: acostado

G. COMPUESTO: habiéndose acostado   INF. COMPUESTO: haberse acostado

ACOSTARSE 6

INDICATIVO

T. SIMPLES

PRESENTE

me acuesto
te acuestas
se acuesta
nos acostamos
os acostáis
se acuestan

PRETÉRITO IMPERFECTO

me acostaba
te acostabas
se acostaba
nos acostábamos
os acostabais
se acostaban

PRETÉRITO INDEFINIDO

me acosté   nos acostamos
te acostaste   os acostasteis
se acostó   se acostaron

FUTURO

me acostaré
te acostarás
se acostará
nos acostaremos
os acostaréis
se acostarán

CONDICIONAL

me acostaría
te acostarías
se acostaría
nos acostaríamos
os acostaríais
se acostarían

T. COMPUESTOS

PRETÉRITO PERFECTO

me he acostado
te has acostado
se ha acostado
nos hemos acostado
os habéis acostado
se han acostado

PRET. PLUSCUAMPERFECTO

me había acostado
te habías acostado
se había acostado
nos habíamos acostado
os habíais acostado
se habían acostado

FUTURO PERFECTO

me habré acostado
te habrás acostado
se habrá acostado
nos habremos acostado
os habréis acostado
se habrán acostado

CONDICIONAL PERFECTO

me habría acostado
te habrías acostado
se habría acostado
nos habríamos acostado
os habríais acostado
se habrían acostado

SUBJUNTIVO

TIEMPOS SIMPLES

PRDENTE

me acueste
te acuestes
se acueste
nos acostemos
os acostéis
se acuesten

PRET. IMPERFECTO

me acostara o acostase
te acostaras o acostases
se acostara o acostase
nos acostáramos o acostásemos
os acostarais o acostaseis
se acostaran o acostasen

TIEMPOS COMPUESTOS

PRET. PERFECTO

me haya acostado
te hayas acostado
se haya acostado
nos hayamos acostado
os hayáis acostado
se hayan acostado

PRET. PLUSCUAMPERFECTO

me hubiera o hubiese acostado
te hubieras o hubieses acostado
se hubiera o hubiese acostado
nos hubiéramos o hubiésemos acostado
os hubierais o hubieseis acostado
se hubieran o hubiesen acostado

IMPERATIVO

acuéstate tú/ no te acuestes
acostaos vosotros/ no os acostéis
acostémonos nosotros/ no nos acostemos
acuéstese usted/ no se acueste
acuéstense ustedes/ no se acuesten

 TÉRMINOS Y EXPRESIONES

Acostar

7 ACOSTUMBRARSE A

GERUNDIO: acostumbrándose **PARTICIPIO:** acostumbrado
G. COMPUESTO: habiéndose acostumbrado **INF. COMPUESTO:** haberse acostumbrado

INDICATIVO

T. SIMPLES

PRESENTE

me acostumbro
te acostumbras
se acostumbra
nos acostumbramos
os acostumbráis
se acostumbran

PRETÉRITO IMPERFECTO

me acostumbraba
te acostumbrabas
se acostumbraba
nos acostumbrábamos
os acostumbrabais
se acostumbraba

PRETÉRITO INDEFINIDO

me acostumbré   nos acostumbramos
te acostumbraste   os acostumbrasteis
se acostumbró   se acostumbraron

FUTURO

me acostumbraré
te acostumbrarás
se acostumbrará
nos acostumbraremos
os acostumbraréis
se acostumbrarán

CONDICIONAL

me acostumbraría
te acostumbrarías
se acostumbraría
nos acostumbraríamos
os acostumbraríais
se acostumbrarían

T. COMPUESTOS

PRETÉRITO PERFECTO

me he acostumbrado
te has acostumbrado
se ha acostumbrado
nos hemos acostumbrado
os habéis acostumbrado
se han acostumbrado

PRET. PLUSCUAMPERFECTO

me había acostumbrado
te habías acostumbrado
se había acostumbrado
nos habíamos acostumbrado
os habíais acostumbrado
se habían acostumbrado

FUTURO PERFECTO

me habré acostumbrado
te habrás acostumbrado
se habrá acostumbrado
nos habremos acostumbrado
os habréis acostumbrado
se habrán acostumbrado

CONDICIONAL PERFECTO

me habría acostumbrado
te habrías acostumbrado
se habría acostumbrado
nos habríamos acostumbrado
os habríais acostumbrado
se habrían acostumbrado

SUBJUNTIVO

TIEMPOS SIMPLES

PRESENTE

me acostumbre
te acostumbres
se acostumbre
nos acostumbremos
os acostumbréis
se acostumbren

PRET. IMPERFECTO

me acostumbrara o acostumbrase
te acostumbraras o acostumbrases
se acostumbrara o acostumbrase
nos acostumbráramos o acostumbrásemos
os acostumbrarais o acostumbraseis
se acostumbraran o acostumbrasen

TIEMPOS COMPUESTOS

PRET. PERFECTO

me haya acostumbrado
te hayas acostumbrado
se haya acostumbrado
nos hayamos acostumbrado
os hayáis acostumbrado
se hayan acostumbrado

PRET. PLUSCUAMPERFECTO

me hubiera o hubiese acostumbrado
te hubieras o hubieses acostumbrado
se hubiera o hubiese acostumbrado
nos hubiéramos o hubiésemos acostumbrado
os hubierais o hubieseis acostumbrado
se hubieran o hubiesen acostumbrado

IMPERATIVO

acostúmbrate tú/ no te acostumbres
acostumbraos vosotros/ no os acostumbréis
acostumbrémonos nosotros/ no nos acostumbremos
acostúmbrese usted/ no se acostumbre
acostúmbrense ustedes/ no se acostumbren

 TÉRMINOS Y EXPRESIONES

La costumbre
Tener la costumbre de hacer algo

GERUNDIO: adquiriendo **PARTICIPIO:** adquirido
G. COMPUESTO: habiendo adquirido **INF. COMPUESTO:** haber adquirido

ADQUIRIR 8

INDICATIVO

T. SIMPLES

PRESENTE

adquiero
adquieres
adquiere
adquirimos
adquirís
adquieren

PRETÉRITO IMPERFECTO

adquiría
adquirías
adquiría
adquiríamos
adquiríais
adquirían

PRETÉRITO INDEFINIDO

adquirí	adquirimos
adquiriste	adquiristeis
adquirió	adquirieron

FUTURO

adquiriré
adquirirás
adquirirá
adquiriremos
adquiriréis
adquirirán

CONDICIONAL

adquiriría
adquirirías
adquiriría
adquiriríamos
adquiriríais
adquirirían

T. COMPUESTOS

PRETÉRITO PERFECTO

he adquirido
has adquirido
ha adquirido
hemos adquirido
habéis adquirido
han adquirido

PRET. PLUSCUAMPERFECTO

había adquirido
habías adquirido
había adquirido
habíamos adquirido
habíais adquirido
habían adquirido

FUTURO PERFECTO

habré adquirido
habrás adquirido
habrá adquirido
habremos adquirido
habréis adquirido
habrán adquirido

CONDICIONAL PERFECTO

habría adquirido
habrías adquirido
habría adquirido
habríamos adquirido
habríais adquirido
habrían adquirido

SUBJUNTIVO

TIEMPOS SIMPLES

PRESENTE

adquiera
adquieras
adquiera
adquiramos
adquiráis
adquieran

PRET. IMPERFECTO

adquiriera o adquiriese
adquirieras o adquirieses
adquiriera o adquiriese
adquiriéramos o adquiriésemos
adquirierais o adquirieseis
adquirieran o adquiriesen

TIEMPOS COMPUESTOS

PRET. PERFECTO

haya adquirido
hayas adquirido
haya adquirido
hayamos adquirido
hayáis adquirido
hayan adquirido

PRET. PLUSCUAMPERFECTO

hubiera o hubiese adquirido
hubieras o hubieses adquirido
hubiera o hubiese adquirido
hubiéramos o hubiésemos adquirido
hubierais o hubieseis adquirido
hubieran o hubiesen adquirido

IMPERATIVO

adquiere tú/ no adquieras
adquirid vosotros/ no adquiráis
adquiramos nosotros/ no adquiramos
adquiera usted/ no adquiera
adquieran ustedes/ no adquieran

TÉRMINOS Y EXPRESIONES

La adquisición
Adquirible
Adquisitivo/ -a

9 ALMORZAR

GERUNDIO: almorzando
G. COMPUESTO: habiendo almorzado
PARTICIPIO: almorzado
INF. COMPUESTO: haber almorzado

INDICATIVO

T. SIMPLES

PRESENTE

almuerzo
almuerzas
almuerza
almorzamos
almorzáis
almuerzan

PRETÉRITO IMPERFECTO

almorzaba
almorzabas
almorzaba
almorzábamos
almorzabais
almorzaban

PRETÉRITO INDEFINIDO

almorcé	almorzamos
almorzaste	almorzasteis
almorzó	almorzaron

FUTURO

almorzaré
almorzarás
almorzará
almorzaremos
almorzaréis
almorzarán

CONDICIONAL

almorzaría
almorzarías
almorzaría
almorzaríamos
almorzaríais
almorzarían

T. COMPUESTOS

PRETÉRITO PERFECTO

he almorzado
has almorzado
ha almorzado
hemos almorzado
habéis almorzado
han almorzado

PRET. PLUSCUAMPERFECTO

había almorzado
habías almorzado
había almorzado
habíamos almorzado
habíais almorzado
habían almorzado

FUTURO PERFECTO

habré almorzado
habrás almorzado
habrá almorzado
habremos almorzado
habréis almorzado
habrán almorzado

CONDICIONAL PERFECTO

habría almorzado
habrías almorzado
habría almorzado
habríamos almorzado
habríais almorzado
habrían almorzado

SUBJUNTIVO

TIEMPOS SIMPLES

PRESENTE

almuerce
almuerces
almuerce
almorcemos
almorcéis
almuercen

PRET. IMPERFECTO

almorzara o almorzase
almorzaras o almorzases
almorzara o almorzase
almorzáramos o almorzásemos
almorzarais o almorzaseis
almorzaran o almorzasen

TIEMPOS COMPUESTOS

PRET. PERFECTO

haya almorzado
hayas almorzado
haya almorzado
hayamos almorzado
hayáis almorzado
hayan almorzado

PRET. PLUSCUAMPERFECTO

hubiera o hubiese almorzado
hubieras o hubieses almorzado
hubiera o hubiese almorzado
hubiéramos o hubiésemos almorzado
hubierais o hubieseis almorzado
hubieran o hubiesen almorzado

IMPERATIVO

almuerza tú/ no almuerces
almorzad vosotros/ no almorcéis
almorcemos nosotros/ no almorcemos
almuerce usted/ no almuerce
almuercen ustedes/ no almuercen

 TÉRMINOS Y EXPRESIONES

El almuerzo

INDICATIVO

T. SIMPLES

PRESENTE

amo

amas

ama

amamos

amáis

aman

PRETÉRITO IMPERFECTO

amaba

amabas

amaba

amábamos

amabais

amaban

PRETÉRITO INDEFINIDO

amé	amamos
amaste	amasteis
amó	amaron

FUTURO

amaré

amarás

amará

amaremos

amaréis

amarán

CONDICIONAL

amaría

amarías

amaría

amaríamos

amaríais

amarían

T. COMPUESTOS

PRETÉRITO PERFECTO

he amado

has amado

ha amado

hemos amado

habéis amado

han amado

PRET. PLUSCUAMPERFECTO

había amado

habías amado

había amado

habíamos amado

habíais amado

habían amado

FUTURO PERFECTO

habré amado

habrás amado

habrá amado

habremos amado

habréis amado

habrán amado

CONDICIONAL PERFECTO

habría amado

habrías amado

habría amado

habríamos amado

habríais amado

habrían amado

SUBJUNTIVO

TIEMPOS SIMPLES

PRESENTE

ame

ames

ame

amemos

améis

amen

PRET. IMPERFECTO

amara o amase

amaras o amases

amara o amase

amáramos o amásemos

amarais o amaseis

amaran o amasen

TIEMPOS COMPUESTOS

PRET. PERFECTO

haya amado

hayas amado

haya amado

hayamos amado

hayáis amado

hayan amado

PRET. PLUSCUAMPERFECTO

hubiera o hubiese amado

hubieras o hubieses amado

hubiera o hubiese amado

hubiéramos o hubiésemos amado

hubierais o hubieseis amado

hubieran o hubiesen amado

IMPERATIVO

ama tú/ no ames

amad vosotros/ no améis

amemos nosotros/ no amemos

ame usted/ no ame

amen ustedes/ no amen

 TÉRMINOS Y EXPRESIONES

La amabilidad

El/ la amante

El amor/ el desamor

Amable

Amoroso/ -a

Amablemente

Amorosamente

ANDAR

GERUNDIO: andando **PARTICIPIO:** andado
G. COMPUESTO: habiendo andado **INF. COMPUESTO:** haber andado

INDICATIVO

T. SIMPLES

PRESENTE

ando
andas
anda
andamos
andáis
andan

PRETÉRITO IMPERFECTO

andaba
andabas
andaba
andábamos
andabais
andaban

PRETÉRITO INDEFINIDO

anduve	anduvimos
anduviste	anduvisteis
anduvo	anduvieron

FUTURO

andaré
andarás
andará
andaremos
andaréis
andarán

CONDICIONAL

andaría
andarías
andaría
andaríamos
andaríais
andarían

T. COMPUESTOS

PRETÉRITO PERFECTO

he andado
has andado
ha andado
hemos andado
habéis andado
han andado

PRET. PLUSCUAMPERFECTO

había andado
habías andado
había andado
habíamos andado
habíais andado
habían andado

FUTURO PERFECTO

habré andado
habrás andado
habrá andado
habremos andado
habréis andado
habrán andado

CONDICIONAL PERFECTO

habría andado
habrías andado
habría andado
habríamos andado
habríais andado
habrían andado

SUBJUNTIVO

TIEMPOS SIMPLES

PRESENTE

ande
andes
ande
andemos
andéis
anden

PRET. IMPERFECTO

anduviera o anduviese
anduvieras o anduvieses
anduviera o anduviese
anduviéramos o anduviésemos
anduvierais o anduvieseis
anduvieran o anduviesen

TIEMPOS COMPUESTOS

PRET. PERFECTO

haya andado
hayas andado
haya andado
hayamos andado
hayáis andado
hayan andado

PRET. PLUSCUAMPERFECTO

hubiera o hubiese andado
hubieras o hubieses andado
hubiera o hubiese andado
hubiéramos o hubiésemos andado
hubierais o hubieseis andado
hubieran o hubiesen andado

IMPERATIVO

anda tú/ no andes
andad vosotros/ no andéis
andemos nosotros/ no andemos
ande usted/ no ande
anden ustedes/ no anden

 TÉRMINOS Y EXPRESIONES

Las andanzas
Andante
Andariego/ -a
Andar con pies de plomo/ andarse con ojo – *actuar con precaución*

Andar de puntillas – *apoyando la punta de los pies en el suelo*
Andarse por las ramas – *divagar, no hablar directamente de un asunto*

GERUNDIO: apagando
G. COMPUESTO: habiendo apagado

PARTICIPIO: apagado
INF. COMPUESTO: haber apagado

INDICATIVO

T. SIMPLES | T. COMPUESTOS

PRESENTE	PRETÉRITO PERFECTO
apago	he apagado
apagas	has apagado
apaga	ha apagado
apagamos	hemos apagado
apagáis	habéis apagado
apagan	han apagado

PRETÉRITO IMPERFECTO	PRET. PLUSCUAMPERFECTO
apagaba	había apagado
apagabas	habías apagado
apagaba	había apagado
apagábamos	habíamos apagado
apagabais	habíais apagado
apagaban	habían apagado

PRETÉRITO INDEFINIDO

apagué	apagamos
apagaste	apagasteis
apagó	apagaron

FUTURO	FUTURO PERFECTO
apagaré	habré apagado
apagarás	habrás apagado
apagará	habrá apagado
apagaremos	habremos apagado
apagaréis	habréis apagado
apagarán	habrán apagado

CONDICIONAL	CONDICIONAL PERFECTO
apagaría	habría apagado
apagarías	habrías apagado
apagaría	habría apagado
apagaríamos	habríamos apagado
apagaríais	habríais apagado
apagarían	habrían apagado

SUBJUNTIVO

TIEMPOS SIMPLES

PRESENTE	PRET. IMPERFECTO
apague	apagara o apagase
apagues	apagaras o apagases
apague	apagara o apagase
apaguemos	apagáramos o apagásemos
apaguéis	apagarais o apagaseis
apaguen	apagaran o apagasen

TIEMPOS COMPUESTOS

PRET. PERFECTO	PRET. PLUSCUAMPERFECTO
haya apagado	hubiera o hubiese apagado
hayas apagado	hubieras o hubieses apagado
haya apagado	hubiera o hubiese apagado
hayamos apagado	hubiéramos o hubiésemos apagado
hayáis apagado	hubierais o hubieseis apagado
hayan apagado	hubieran o hubiesen apagado

IMPERATIVO

apaga tú/ no apagues
apagad vosotros/ no apaguéis
apaguemos nosotros/ no apaguemos
apague usted/ no apague
apaguen ustedes/ no apaguen

 TÉRMINOS Y EXPRESIONES

El apagón
Apaga y vámonos – es *inútil conseguir algo
dadas las circunstancias*

13 APRENDER

GERUNDIO: aprendiendo   **PARTICIPIO:** aprendido
G. COMPUESTO: habiendo aprendido   **INF. COMPUESTO:** haber aprendido

INDICATIVO

T. SIMPLES

PRESENTE

aprendo
aprendes
aprende
aprendemos
aprendéis
aprenden

PRETÉRITO IMPERFECTO

aprendía
aprendías
aprendía
aprendíamos
aprendíais
aprendían

PRETÉRITO INDEFINIDO

aprendí	aprendimos
aprendiste	aprendisteis
aprendió	aprendieron

FUTURO

aprenderé
aprenderás
aprenderá
aprenderemos
aprenderéis
aprenderán

CONDICIONAL

aprendería
aprenderías
aprendería
aprenderíamos
aprenderíais
aprenderían

T. COMPUESTOS

PRETÉRITO PERFECTO

he aprendido
has aprendido
ha aprendido
hemos aprendido
habéis aprendido
han aprendido

PRET. PLUSCUAMPERFECTO

había aprendido
habías aprendido
había aprendido
habíamos aprendido
habíais aprendido
habían aprendido

FUTURO PERFECTO

habré aprendido
habrás aprendido
habrá aprendido
habremos aprendido
habréis aprendido
habrán aprendido

CONDICIONAL PERFECTO

habría aprendido
habrías aprendido
habría aprendido
habríamos aprendido
habríais aprendido
habrían aprendido

SUBJUNTIVO

TIEMPOS SIMPLES

PRESENTE

aprenda
aprendas
aprenda
aprendamos
aprendáis
aprendan

PRET. IMPERFECTO

aprendiera o aprendiese
aprendieras o aprendieses
aprendiera o aprendiese
aprendiéramos o aprendiésemos
aprendierais o aprendieseis
aprendieran o aprendiesen

TIEMPOS COMPUESTOS

PRET. PERFECTO

haya aprendido
hayas aprendido
haya aprendido
hayamos aprendido
hayáis aprendido
hayan aprendido

PRET. PLUSCUAMPERFECTO

hubiera o hubiese aprendido
hubieras o hubieses aprendido
hubiera o hubiese aprendido
hubiéramos o hubiésemos aprendido
hubierais o hubieseis aprendido
hubieran o hubiesen aprendido

IMPERATIVO

aprende tú/ no aprendas
aprended vosotros/ no aprendáis
aprendamos nosotros/ no aprendamos
aprenda usted/ no aprenda
aprendan ustedes/ no aprendan

 TÉRMINOS Y EXPRESIONES

Aprender a (hacer algo)
El aprendiz
El aprendizaje

INDICATIVO

T. SIMPLES

PRESENTE

apruebo
apruebas
aprueba
aprobamos
aprobáis
aprueban

PRETÉRITO IMPERFECTO

aprobaba
aprobabas
aprobaba
aprobábamos
aprobabais
aprobaban

PRETÉRITO INDEFINIDO

aprobé	aprobamos
aprobaste	aprobasteis
aprobó	aprobaron

FUTURO

aprobaré
aprobarás
aprobará
aprobaremos
aprobaréis
aprobarán

CONDICIONAL

aprobaría
aprobarías
aprobaría
aprobaríamos
aprobaríais
aprobarían

T. COMPUESTOS

PRETÉRITO PERFECTO

he aprobado
has aprobado
ha aprobado
hemos aprobado
habéis aprobado
han aprobado

PRET. PLUSCUAMPERFECTO

había aprobado
habías aprobado
había aprobado
habíamos aprobado
habíais aprobado
habían aprobado

FUTURO PERFECTO

habré aprobado
habrás aprobado
habrá aprobado
habremos aprobado
habréis aprobado
habrán aprobado

CONDICIONAL PERFECTO

habría aprobado
habrías aprobado
habría aprobado
habríamos aprobado
habríais aprobado
habrían aprobado

SUBJUNTIVO

TIEMPOS SIMPLES

PRESENTE

apruebe
apruebes
apruebe
aprobemos
aprobéis
aprueben

PRET. IMPERFECTO

aprobara o aprobase
aprobaras o aprobases
aprobara o aprobase
aprobáramos o aprobásemos
aprobarais o aprobaseis
aprobaran o aprobasen

TIEMPOS COMPUESTOS

PRET. PERFECTO

haya aprobado
hayas aprobado
haya aprobado
hayamos aprobado
hayáis aprobado
hayan aprobado

PRET. PLUSCUAMPERFECTO

hubiera o hubiese aprobado
hubieras o hubieses aprobado
hubiera o hubiese aprobado
hubiéramos o hubiésemos aprobado
hubierais o hubieseis aprobado
hubieran o hubiesen aprobado

IMPERATIVO

aprueba tú/ no apruebes
aprobad vosotros/ no aprobéis
aprobemos nosotros/ no aprobemos
apruebe usted/ no apruebe
aprueben ustedes/ no aprueben

 TÉRMINOS Y EXPRESIONES

El aprobado
La aprobación/ la desaprobación

15 ARREPENTIRSE DE

GERUNDIO: arrepintiéndose **PARTICIPIO:** arrepentido
G. COMPUESTO: habiéndose arrepentido **INF. COMPUESTO:** haberse arrepentido

---

INDICATIVO

T. SIMPLES

PRESENTE
me arrepiento
te arrepientes
se arrepiente
nos arrepentimos
os arrepentís
se arrepienten

PRETÉRITO IMPERFECTO
me arrepentía
te arrepentías
se arrepentía
nos arrepentíamos
os arrepentíais
se arrepentían

PRETÉRITO INDEFINIDO
me arrepentí   nos arrepentimos
te arrepentiste   os arrepentisteis
se arrepintió   se arrepintieron

FUTURO
me arrepentiré
te arrepentirás
se arrepentirá
nos arrepentiremos
os arrepentiréis
se arrepentirán

CONDICIONAL
me arrepentiría
te arrepentirías
se arrepentiría
nos arrepentiríamos
os arrepentiríais
se arrepentirían

T. COMPUESTOS

PRETÉRITO PERFECTO
me he arrepentido
te has arrepentido
se ha arrepentido
nos hemos arrepentido
os habéis arrepentido
se han arrepentido

PRET. PLUSCUAMPERFECTO
me había arrepentido
te habías arrepentido
se había arrepentido
nos habíamos arrepentido
os habíais arrepentido
se habían arrepentido

FUTURO PERFECTO
me habré arrepentido
te habrás arrepentido
se habrá arrepentido
nos habremos arrepentido
os habréis arrepentido
se habrán arrepentido

CONDICIONAL PERFECTO
me habría arrepentido
te habrías arrepentido
se habría arrepentido
nos habríamos arrepentido
os habríais arrepentido
se habrían arrepentido

SUBJUNTIVO

TIEMPOS SIMPLES

PRESENTE
me arrepienta
te arrepientas
se arrepienta
nos arrepintamos
os arrepintáis
se arrepientan

PRET. IMPERFECTO
me arrepintiera o arrepintiese
te arrepintieras o arrepintieses
se arrepintiera o arrepintiese
nos arrepintiéramos o arrepintiésemos
os arrepintierais o arrepintieseis
se arrepintieran o arrepintiesen

TIEMPOS COMPUESTOS

PRET. PERFECTO
me haya arrepentido
te hayas arrepentido
se haya arrepentido
nos hayamos arrepentido
os hayáis arrepentido
se hayan arrepentido

PRET. PLUSCUAMPERFECTO
me hubiera o hubiese arrepentido
te hubieras o hubieses arrepentido
se hubiera o hubiese arrepentido
nos hubiéramos o hubiésemos arrepentido
os hubierais o hubieseis arrepentido
se hubieran o hubiesen arrepentido

IMPERATIVO

arrepiéntete tú/ no te arrepientas
arrepentíos vosotros/ no os arrepintáis
arrepintámonos nosotros/ no nos arrepintamos
arrepiéntase usted/ no se arrepienta
arrepiéntanse ustedes/ no se arrepientan

 TÉRMINOS Y EXPRESIONES

El arrepentimiento

GERUNDIO: atendiendo **PARTICIPIO:** atendido
G. COMPUESTO: habiendo atendido **INF. COMPUESTO:** haber atendido

INDICATIVO

T. SIMPLES

PRESENTE

atiendo
atiendes
atiende
atendemos
atendéis
atienden

PRETÉRITO IMPERFECTO

atendía
atendías
atendía
atendíamos
atendíais
atendían

PRETÉRITO INDEFINIDO

atendí	atendimos
atendiste	atendisteis
atendió	atendieron

FUTURO

atenderé
atenderás
atenderá
atenderemos
atenderéis
atenderán

CONDICIONAL

atendería
atenderías
atendería
atenderíamos
atenderíais
atenderían

T. COMPUESTOS

PRETÉRITO PERFECTO

he atendido
has atendido
ha atendido
hemos atendido
habéis atendido
han atendido

PRET. PLUSCUAMPERFECTO

había atendido
habías atendido
había atendido
habíamos atendido
habíais atendido
habían atendido

FUTURO PERFECTO

habré atendido
habrás atendido
habrá atendido
habremos atendido
habréis atendido
habrán atendido

CONDICIONAL PERFECTO

habría atendido
habrías atendido
habría atendido
habríamos atendido
habríais atendido
habrían atendido

SUBJUNTIVO

TIEMPOS SIMPLES

PRESENTE

atienda
atiendas
atienda
atendamos
atendáis
atiendan

PRET. IMPERFECTO

atendiera o atendiese
atendieras o atendieses
atendiera o atendiese
atendiéramos o atendiésemos
atendierais o atendieseis
atendieran o atendiesen

TIEMPOS COMPUESTOS

PRET. PERFECTO

haya atendido
hayas atendido
haya atendido
hayamos atendido
hayáis atendido
hayan atendido

PRET. PLUSCUAMPERFECTO

hubiera o hubiese atendido
hubieras o hubieses atendido
hubiera o hubiese atendido
hubiéramos o hubiésemos atendido
hubierais o hubieseis atendido
hubieran o hubiesen atendido

IMPERATIVO

atiende tú/ no atiendas
atended vosotros/ no atendáis
atendamos nosotros/ no atendamos
atienda usted/ no atienda
atiendan ustedes/ no atiendan

 TÉRMINOS Y EXPRESIONES

La atención Llamar la atención – *reprender/ advertir/ destacar*
Atento/ -a Prestar atención – *atender con cuidado*
Atentamente

Gerundio: averiguando
G. compuesto: habiendo averiguado

Participio: averiguado
Inf. compuesto: haber averiguado

INDICATIVO

T. SIMPLES

Presente

averiguo
averiguas
averigua
averiguamos
averiguáis
averiguan

Pretérito imperfecto

averiguaba
averiguabas
averiguaba
averiguábamos
averiguabais
averiguaban

Pretérito indefinido

averigüé	averiguamos
averiguaste	averiguasteis
averiguó	averiguaron

Futuro

averiguaré
averiguarás
averiguará
averiguaremos
averiguaréis
averiguarán

Condicional

averiguaría
averiguarías
averiguaría
averiguaríamos
averiguaríais
averiguarían

T. COMPUESTOS

Pretérito perfecto

he averiguado
has averiguado
ha averiguado
hemos averiguado
habéis averiguado
han averiguado

Pret. pluscuamperfecto

había averiguado
habías averiguado
había averiguado
habíamos averiguado
habíais averiguado
habían averiguado

Futuro perfecto

habré averiguado
habrás averiguado
habrá averiguado
habremos averiguado
habréis averiguado
habrán averiguado

Condicional perfecto

habría averiguado
habrías averiguado
habría averiguado
habríamos averiguado
habríais averiguado
habrían averiguado

SUBJUNTIVO

TIEMPOS SIMPLES

Presente

averigüe
averigües
averigüe
averigüemos
averigüéis
averigüen

Pret. imperfecto

averiguara o averiguase
averiguaras o averiguases
averiguara o averiguase
averiguáramos o averiguásemos
averiguarais o averiguaseis
averiguaran o averiguasen

TIEMPOS COMPUESTOS

Pret. perfecto

haya averiguado
hayas averiguado
haya averiguado
hayamos averiguado
hayáis averiguado
hayan averiguado

Pret. pluscuamperfecto

hubiera o hubiese averiguado
hubieras o hubieses averiguado
hubiera o hubiese averiguado
hubiéramos o hubiésemos averiguado
hubierais o hubieseis averiguado
hubieran o hubiesen averiguado

IMPERATIVO

averigua tú/ no averigües
averiguad vosotros/ no averigüéis
averigüemos nosotros/ no averigüemos
averigüe usted/ no averigüe
averigüen ustedes/ no averigüen

Términos y expresiones

La averiguación
Averiguable

GERUNDIO: bebiendo
G. COMPUESTO: habiendo bebido

PARTICIPIO: bebido
INF. COMPUESTO: haber bebido

BEBER 18

INDICATIVO

T. SIMPLES

PRESENTE

bebo
bebes
bebe
bebemos
bebéis
beben

PRETÉRITO IMPERFECTO

bebía
bebías
bebía
bebíamos
bebíais
bebían

PRETÉRITO INDEFINIDO

bebí	bebimos
bebiste	bebisteis
bebió	bebieron

FUTURO

beberé
beberás
beberá
beberemos
beberéis
beberán

CONDICIONAL

bebería
beberías
bebería
beberíamos
beberíais
beberían

T. COMPUESTOS

PRETÉRITO PERFECTO

he bebido
has bebido
ha bebido
hemos bebido
habéis bebido
han bebido

PRET. PLUSCUAMPERFECTO

había bebido
habías bebido
había bebido
habíamos bebido
habíais bebido
habían bebido

FUTURO PERFECTO

habré bebido
habrás bebido
habrá bebido
habremos bebido
habréis bebido
habrán bebido

CONDICIONAL PERFECTO

habría bebido
habrías bebido
habría bebido
habríamos bebido
habríais bebido
habrían bebido

SUBJUNTIVO

TIEMPOS SIMPLES

PRESENTE

beba
bebas
beba
bebamos
bebáis
beban

PRET. IMPERFECTO

bebiera o bebiese
bebieras o bebieses
bebiera o bebiese
bebiéramos o bebiésemos
bebierais o bebieseis
bebieran o bebiesen

TIEMPOS COMPUESTOS

PRET. PERFECTO

haya bebido
hayas bebido
haya bebido
hayamos bebido
hayáis bebido
hayan bebido

PRET. PLUSCUAMPERFECTO

hubiera o hubiese bebido
hubieras o hubieses bebido
hubiera o hubiese bebido
hubiéramos o hubiésemos bebido
hubierais o hubieseis bebido
hubieran o hubiesen bebido

IMPERATIVO

bebe tú/ no bebas
bebed vosotros/ no bebáis
bebamos nosotros/ no bebamos
beba usted/ no beba
beban ustedes/ no beban

TÉRMINOS Y EXPRESIONES

El bebedizo
La bebida
Bebedor/ -a
Bebible/ imbebible
Beber como un cosaco – *beber mucho alcohol*
Estar bebido/ -a – *estar borracho/ -a*

19 BOSTEZAR

GERUNDIO: bostezando   **PARTICIPIO:** bostezado
G. COMPUESTO: habiendo bostezado   **INF. COMPUESTO:** haber bostezado

INDICATIVO

T. SIMPLES

PRESENTE

bostezo
bostezas
bosteza
bostezamos
bostezáis
bostezan

PRETÉRITO IMPERFECTO

bostezaba
bostezabas
bostezaba
bostezábamos
bostezabais
bostezaban

PRETÉRITO INDEFINIDO

bostecé	bostezamos
bostezaste	bostezasteis
bostezó	bostezaron

FUTURO

bostezaré
bostezarás
bostezará
bostezaremos
bostezaréis
bostezarán

CONDICIONAL

bostezaría
bostezarías
bostezaría
bostezaríamos
bostezaríais
bostezarían

T. COMPUESTOS

PRETÉRITO PERFECTO

he bostezado
has bostezado
ha bostezado
hemos bostezado
habéis bostezado
han bostezado

PRET. PLUSCUAMPERFECTO

había bostezado
habías bostezado
había bostezado
habíamos bostezado
habíais bostezado
habían bostezado

FUTURO PERFECTO

habré bostezado
habrás bostezado
habrá bostezado
habremos bostezado
habréis bostezado
habrán bostezado

CONDICIONAL PERFECTO

habría bostezado
habrías bostezado
habría bostezado
habríamos bostezado
habríais bostezado
habrían bostezado

SUBJUNTIVO

TIEMPOS SIMPLES

PRESENTE

bostece
bosteces
bostece
bostecemos
bostecéis
bostecen

PRET. IMPERFECTO

bostezara o bostezase
bostezaras o bostezases
bostezara o bostezase
bostezáramos o bostezásemos
bostezarais o bostezaseis
bostezaran o bostezasen

TIEMPOS COMPUESTOS

PRET. PERFECTO

haya bostezado
hayas bostezado
haya bostezado
hayamos bostezado
hayáis bostezado
hayan bostezado

PRET. PLUSCUAMPERFECTO

hubiera o hubiese bostezado
hubieras o hubieses bostezado
hubiera o hubiese bostezado
hubiéramos o hubiésemos bostezado
hubierais o hubieseis bostezado
hubieran o hubiesen bostezado

IMPERATIVO

bosteza tú/ no bosteces
bostezad vosotros/ no bostecéis
bostecemos nosotros/ no bostecemos
bostece usted/ no bostece
bostecen ustedes/ no bostecen

 TÉRMINOS Y EXPRESIONES

El bostezo

GERUNDIO: buscando **PARTICIPIO:** buscado

G. COMPUESTO: habiendo buscado **INF. COMPUESTO:** haber buscado

BUSCAR 20

INDICATIVO

T. SIMPLES

PRESENTE

busco
buscas
busca
buscamos
buscáis
buscan

PRETÉRITO IMPERFECTO

buscaba
buscabas
buscaba
buscábamos
buscabais
buscaban

PRETÉRITO INDEFINIDO

busqué	buscamos
buscaste	buscasteis
buscó	buscaron

FUTURO

buscaré
buscarás
buscará
buscaremos
buscaréis
buscarán

CONDICIONAL

buscaría
buscarías
buscaría
buscaríamos
buscaríais
buscarían

T. COMPUESTOS

PRETÉRITO PERFECTO

he buscado
has buscado
ha buscado
hemos buscado
habéis buscado
han buscado

PRET. PLUSCUAMPERFECTO

había buscado
habías buscado
había buscado
habíamos buscado
habíais buscado
habían buscado

FUTURO PERFECTO

habré buscado
habrás buscado
habrá buscado
habremos buscado
habréis buscado
habrán buscado

CONDICIONAL PERFECTO

habría buscado
habrías buscado
habría buscado
habríamos buscado
habríais buscado
habrían buscado

SUBJUNTIVO

TIEMPOS SIMPLES

PRESENTE	**PRET. IMPERFECTO**
busque	buscara o buscase
busques	buscaras o buscases
busque	buscara o buscase
busquemos	buscáramos o buscásemos
busquéis	buscarais o buscaseis
busquen	buscaran o buscasen

TIEMPOS COMPUESTOS

PRET. PERFECTO	**PRET. PLUSCUAMPERFECTO**
haya buscado	hubiera o hubiese buscado
hayas buscado	hubieras o hubieses buscado
haya buscado	hubiera o hubiese buscado
hayamos buscado	hubiéramos o hubiésemos buscado
hayáis buscado	hubierais o hubieseis buscado
hayan buscado	hubieran o hubiesen buscado

IMPERATIVO

busca tú/ no busques
buscad vosotros/ no busquéis
busquemos nosotros/ no busquemos
busque usted/ no busque
busquen ustedes/ no busquen

 TÉRMINOS Y EXPRESIONES

La busca
El buscador
La búsqueda
Buscar una aguja en un pajar – *intentar un imposible*
Buscar tres pies al gato – *meterse en complicaciones inútiles*
Buscarse la vida – *saber encontrar la forma de solucionar problemas*

GERUNDIO: cabiendo **PARTICIPIO:** cabido
G. COMPUESTO: habiendo cabido **INF. COMPUESTO:** haber cabido

INDICATIVO

T. SIMPLES

PRESENTE

quepo
cabes
cabe
cabemos
cabéis
caben

PRETÉRITO IMPERFECTO

cabía
cabías
cabía
cabíamos
cabíais
cabían

PRETÉRITO INDEFINIDO

cupe	cupimos
cupiste	cupisteis
cupo	cupieron

FUTURO

cabré
cabrás
cabrá
cabremos
cabréis
cabrán

CONDICIONAL

cabría
cabrías
cabría
cabríamos
cabríais
cabrían

T. COMPUESTOS

PRETÉRITO PERFECTO

he cabido
has cabido
ha cabido
hemos cabido
habéis cabido
han cabido

PRET. PLUSCUAMPERFECTO

había cabido
habías cabido
había cabido
habíamos cabido
habíais cabido
habían cabido

FUTURO PERFECTO

habré cabido
habrás cabido
habrá cabido
habremos cabido
habréis cabido
habrán cabido

CONDICIONAL PERFECTO

habría cabido
habrías cabido
habría cabido
habríamos cabido
habríais cabido
habrían cabido

SUBJUNTIVO

TIEMPOS SIMPLES

PRESENTE

quepa
quepas
quepa
quepamos
quepáis
quepan

PRET. IMPERFECTO

cupiera o cupiese
cupieras o cupieses
cupiera o cupiese
cupiéramos o cupiésemos
cupierais o cupieseis
cupieran o cupiesen

TIEMPOS COMPUESTOS

PRET. PERFECTO

haya cabido
hayas cabido
haya cabido
hayamos cabido
hayáis cabido
hayan cabido

PRET. PLUSCUAMPERFECTO

hubiera o hubiese cabido
hubieras o hubieses cabido
hubiera o hubiese cabido
hubiéramos o hubiésemos cabido
hubierais o hubieseis cabido
hubieran o hubiesen cabido

IMPERATIVO

No se usa

 TÉRMINOS Y EXPRESIONES

La cabida
La capacidad
No cabe un alfiler – *está lleno un lugar*
No caber en sí de gozo – *estar muy feliz*

INDICATIVO

T. SIMPLES | T. COMPUESTOS

PRESENTE	PRETÉRITO PERFECTO
caigo	he caído
caes	has caído
cae	ha caído
caemos	hemos caído
caéis	habéis caído
caen	han caído

PRETÉRITO IMPERFECTO	PRET. PLUSCUAMPERFECTO
caía	había caído
caías	habías caído
caía	había caído
caíamos	habíamos caído
caíais	habíais caído
caían	habían caído

PRETÉRITO INDEFINIDO

caí	caímos
caíste	caísteis
cayó	cayeron

FUTURO	FUTURO PERFECTO
caeré	habré caído
caerás	habrás caído
caerá	habrá caído
caeremos	habremos caído
caeréis	habréis caído
caerán	habrán caído

CONDICIONAL	CONDICIONAL PERFECTO
caería	habría caído
caerías	habrías caído
caería	habría caído
caeríamos	habríamos caído
caeríais	habríais caído
caerían	habrían caído

SUBJUNTIVO

TIEMPOS SIMPLES

PRESENTE	PRET. IMPERFECTO
caiga	cayera o cayese
caigas	cayeras o cayeses
caiga	cayera o cayese
caigamos	cayéramos o cayésemos
caigáis	cayerais o cayeseis
caigan	cayeran o cayesen

TIEMPOS COMPUESTOS

PRET. PERFECTO	PRET. PLUSCUAMPERFECTO
haya caído	hubiera o hubiese caído
hayas caído	hubieras o hubieses caído
haya caído	hubiera o hubiese caído
hayamos caído	hubiéramos o hubiésemos caído
hayáis caído	hubierais o hubieseis caído
hayan caído	hubieran o hubiesen caído

IMPERATIVO

cae tú/ no caigas
caed vosotros/ no caigáis
caigamos nosotros/ no caigamos
caiga usted/ no caiga
caigan ustedes/ no caigan

 TÉRMINOS Y EXPRESIONES

Caerse
La caída
Caer bien/ mal – *ser simpático/ antipático para alguien*
Caer en la cuenta – *enterarse de algo de repente*

Caer enfermo – *ponerse enfermo*
Caer algo por su propio peso – *ser evidente*
Caerle gordo a alguien – *ser antipático para alguien*
Caerse el alma a los pies – *entristecerse por algo*
Caerse la baba – *sentir orgullo por alguien*

23 CALENTAR

GERUNDIO: calentando **PARTICIPIO:** calentado
G. COMPUESTO: habiendo calentado **INF. COMPUESTO:** haber calentado

INDICATIVO

T. SIMPLES

PRESENTE

caliento
calientas
calienta
calentamos
calentáis
calientan

PRETÉRITO IMPERFECTO

calentaba
calentabas
calentaba
calentábamos
calentabais
calentaban

PRETÉRITO INDEFINIDO

calenté	calentamos
calentaste	calentasteis
calentó	calentaron

FUTURO

calentaré
calentarás
calentará
calentaremos
calentaréis
calentarán

CONDICIONAL

calentaría
calentarías
calentaría
calentaríamos
calentaríais
calentarían

T. COMPUESTOS

PRETÉRITO PERFECTO

he calentado
has calentado
ha calentado
hemos calentado
habéis calentado
han calentado

PRET. PLUSCUAMPERFECTO

había calentado
habías calentado
había calentado
habíamos calentado
habíais calentado
habían calentado

FUTURO PERFECTO

habré calentado
habrás calentado
habrá calentado
habremos calentado
habréis calentado
habrán calentado

CONDICIONAL PERFECTO

habría calentado
habrías calentado
habría calentado
habríamos calentado
habríais calentado
habrían calentado

SUBJUNTIVO

TIEMPOS SIMPLES

PRESENTE

caliente
calientes
caliente
calentemos
calentéis
calienten

PRET. IMPERFECTO

calentara o calentase
calentaras o calentases
calentara o calentase
calentáramos o calentásemos
calentarais o calentaseis
calentaran o calentasen

TIEMPOS COMPUESTOS

PRET. PERFECTO

haya calentado
hayas calentado
haya calentado
hayamos calentado
hayáis calentado
hayan calentado

PRET. PLUSCUAMPERFECTO

hubiera o hubiese calentado
hubieras o hubieses calentado
hubiera o hubiese calentado
hubiéramos o hubiésemos calentado
hubierais o hubieseis calentado
hubieran o hubiesen calentado

IMPERATIVO

calienta tú/ no calientes
calentad vosotros/ no calentéis
calentemos nosotros/ no calentemos
caliente usted/ no caliente
calienten ustedes/ no calienten

TÉRMINOS Y EXPRESIONES

El calentamiento	La calidez	Caliente	Calentarse la cabeza – *pensar mucho sobre un tema*
El calentón	El calor	Calurosamente	Calentarse la sangre – *enfadarse mucho*
La calentura	Cálido/ -a	Cálidamente	

INDICATIVO

T. SIMPLES

PRESENTE

me canso
te cansas
se cansa
nos cansamos
os cansáis
se cansan

PRETÉRITO IMPERFECTO

me cansaba
te cansabas
se cansaba
nos cansábamos
os cansabais
se cansaban

PRETÉRITO INDEFINIDO

me cansé   nos cansamos
te cansaste   os cansasteis
se cansó   se cansaron

FUTURO

me cansaré
te cansarás
se cansará
nos cansaremos
os cansaréis
se cansarán

CONDICIONAL

me cansaría
te cansarías
se cansaría
nos cansaríamos
os cansaríais
se cansarían

T. COMPUESTOS

PRETÉRITO PERFECTO

me he cansado
te has cansado
se ha cansado
nos hemos cansado
os habéis cansado
se han cansado

PRET. PLUSCUAMPERFECTO

me había cansado
te habías cansado
se había cansado
nos habíamos cansado
os habíais cansado
se habían cansado

FUTURO PERFECTO

me habré cansado
te habrás cansado
se habrá cansado
nos habremos cansado
os habréis cansado
se habrán cansado

CONDICIONAL PERFECTO

me habría cansado
te habrías cansado
se habría cansado
nos habríamos cansado
os habríais cansado
se habrían cansado

SUBJUNTIVO

TIEMPOS SIMPLES

PRESENTE

me canse
te canses
se canse
nos cansemos
os canséis
se cansen

PRET. IMPERFECTO

me cansara o cansase
te cansaras o cansases
se cansara o cansase
nos cansáramos o cansásemos
os cansarais o cansaseis
se cansaran o cansasen

TIEMPOS COMPUESTOS

PRET. PERFECTO

me haya cansado
te hayas cansado
se haya cansado
nos hayamos cansado
os hayáis cansado
se hayan cansado

PRET. PLUSCUAMPERFECTO

me hubiera o hubiese cansado
te hubieras o hubieses cansado
se hubiera o hubiese cansado
nos hubiéramos o hubiésemos cansado
os hubierais o hubieseis cansado
se hubieran o hubiesen cansado

IMPERATIVO

cánsate tú/ no te canses
cansaos vosotros/ no os canséis
cansémonos nosotros/ no nos cansemos
cánsese usted/ no se canse
cánsense ustedes/ no se cansen

 TÉRMINOS Y EXPRESIONES

El cansancio

GERUNDIO: cerrando
G. COMPUESTO: habiendo cerrado

PARTICIPIO: cerrado
INF. COMPUESTO: haber cerrado

INDICATIVO

T. SIMPLES

PRESENTE

cierro
cierras
cierra
cerramos
cerráis
cierran

PRETÉRITO IMPERFECTO

cerraba
cerrabas
cerraba
cerrábamos
cerrabais
cerraban

PRETÉRITO INDEFINIDO

cerré   cerramos
cerraste   cerrasteis
cerró   cerraron

FUTURO

cerraré
cerrarás
cerrará
cerraremos
cerraréis
cerrarán

CONDICIONAL

cerraría
cerrarías
cerraría
cerraríamos
cerraríais
cerrarían

T. COMPUESTOS

PRETÉRITO PERFECTO

he cerrado
has cerrado
ha cerrado
hemos cerrado
habéis cerrado
han cerrado

PRET. PLUSCUAMPERFECTO

había cerrado
habías cerrado
había cerrado
habíamos cerrado
habíais cerrado
habían cerrado

FUTURO PERFECTO

habré cerrado
habrás cerrado
habrá cerrado
habremos cerrado
habréis cerrado
habrán cerrado

CONDICIONAL PERFECTO

habría cerrado
habrías cerrado
habría cerrado
habríamos cerrado
habríais cerrado
habrían cerrado

SUBJUNTIVO

TIEMPOS SIMPLES

PRESENTE

cierre
cierres
cierre
cerremos
cerréis
cierren

PRET. IMPERFECTO

cerrara o cerrase
cerraras o cerrases
cerrara o cerrase
cerráramos o cerrásemos
cerrarais o cerraseis
cerraran o cerrasen

TIEMPOS COMPUESTOS

PRET. PERFECTO

haya cerrado
hayas cerrado
haya cerrado
hayamos cerrado
hayáis cerrado
hayan cerrado

PRET. PLUSCUAMPERFECTO

hubiera o hubiese cerrado
hubieras o hubieses cerrado
hubiera o hubiese cerrado
hubiéramos o hubiésemos cerrado
hubierais o hubieseis cerrado
hubieran o hubiesen cerrado

IMPERATIVO

cierra tú/ no cierres
cerrad vosotros/ no cerréis
cerremos nosotros/ no cerremos
cierre usted/ no cierre
cierren ustedes/ no cierren

 TÉRMINOS Y EXPRESIONES

La cerradura
La cerrazón
El cierre
Cerrar a cal y canto – *cerrar completamente*
Cerrar el pico – *callarse*
Cerrarse en banda – *mantener una idea sin cambiar de opinión*

INDICATIVO

T. SIMPLES

PRESENTE

cuezo
cueces
cuece
cocemos
cocéis
cuecen

PRETÉRITO IMPERFECTO

cocía
cocías
cocía
cocíamos
cocíais
cocían

PRETÉRITO INDEFINIDO

cocí	cocimos
cociste	cocisteis
coció	cocieron

FUTURO

coceré
cocerás
cocerá
coceremos
coceréis
cocerán

CONDICIONAL

cocería
cocerías
cocería
coceríamos
coceríais
cocerían

T. COMPUESTOS

PRETÉRITO PERFECTO

he cocido
has cocido
ha cocido
hemos cocido
habéis cocido
han cocido

PRET. PLUSCUAMPERFECTO

había cocido
habías cocido
había cocido
habíamos cocido
habíais cocido
habían cocido

FUTURO PERFECTO

habré cocido
habrás cocido
habrá cocido
habremos cocido
habréis cocido
habrán cocido

CONDICIONAL PERFECTO

habría cocido
habrías cocido
habría cocido
habríamos cocido
habríais cocido
habrían cocido

SUBJUNTIVO

TIEMPOS SIMPLES

PRESENTE

cueza
cuezas
cueza
cozamos
cozáis
cuezan

PRET. IMPERFECTO

cociera o cociese
cocieras o cocieses
cociera o cociese
cociéramos o cociésemos
cocierais o cocieseis
cocieran o cociesen

TIEMPOS COMPUESTOS

PRET. PERFECTO

haya cocido
hayas cocido
haya cocido
hayamos cocido
hayáis cocido
hayan cocido

PRET. PLUSCUAMPERFECTO

hubiera o hubiese cocido
hubieras o hubieses cocido
hubiera o hubiese cocido
hubiéramos o hubiésemos cocido
hubierais o hubieseis cocido
hubieran o hubiesen cocido

IMPERATIVO

cuece tú/ no cuezas
coced vosotros/ no cozáis
cozamos nosotros/ no cozamos
cueza usted/ no cueza
cuezan ustedes/ no cuezan

TÉRMINOS Y EXPRESIONES

La cocción
El cocido
Estar cocido/ -a – *tener mucho calor*
Algo se cuece – *algo se está tramando*

27 COCINAR

GERUNDIO: cocinando **PARTICIPIO:** cocinado
G. COMPUESTO: habiendo cocinado **INF. COMPUESTO:** haber cocinado

INDICATIVO

T. SIMPLES

PRESENTE

cocino
cocinas
cocina
cocinamos
cocináis
cocinan

PRETÉRITO IMPERFECTO

cocinaba
cocinabas
cocinaba
cocinábamos
cocinabais
cocinaban

PRETÉRITO INDEFINIDO

cociné	cocinamos
cocinaste	cocinasteis
cocinó	cocinaron

FUTURO

cocinaré
cocinarás
cocinará
cocinaremos
cocinaréis
cocinarán

CONDICIONAL

cocinaría
cocinarías
cocinaría
cocinaríamos
cocinaríais
cocinarían

T. COMPUESTOS

PRETÉRITO PERFECTO

he cocinado
has cocinado
ha cocinado
hemos cocinado
habéis cocinado
han cocinado

PRET. PLUSCUAMPERFECTO

había cocinado
habías cocinado
había cocinado
habíamos cocinado
habíais cocinado
habían cocinado

FUTURO PERFECTO

habré cocinado
habrás cocinado
habrá cocinado
habremos cocinado
habréis cocinado
habrán cocinado

CONDICIONAL PERFECTO

habría cocinado
habrías cocinado
habría cocinado
habríamos cocinado
habríais cocinado
habrían cocinado

SUBJUNTIVO

TIEMPOS SIMPLES

PRESENTE

cocine
cocines
cocine
cocinemos
cocinéis
cocinen

PRET. IMPERFECTO

cocinara o cocinase
cocinaras o cocinases
cocinara o cocinase
cocináramos o cocinásemos
cocinarais o cocinaseis
cocinaran o cocinasen

TIEMPOS COMPUESTOS

PRET. PERFECTO

haya cocinado
hayas cocinado
haya cocinado
hayamos cocinado
hayáis cocinado
hayan cocinado

PRET. PLUSCUAMPERFECTO

hubiera o hubiese cocinado
hubieras o hubieses cocinado
hubiera o hubiese cocinado
hubiéramos o hubiésemos cocinado
hubierais o hubieseis cocinado
hubieran o hubiesen cocinado

IMPERATIVO

cocina tú/ no cocines
cocinad vosotros/ no cocinéis
cocinemos nosotros/ no cocinemos
cocine usted/ no cocine
cocinen ustedes/ no cocinen

 TÉRMINOS Y EXPRESIONES

La cocina
El cocinero/ la cocinera

INDICATIVO

T. SIMPLES | T. COMPUESTOS

PRESENTE	PRETÉRITO PERFECTO
cojo	he cogido
coges	has cogido
coge	ha cogido
cogemos	hemos cogido
cogéis	habéis cogido
cogen	han cogido

PRETÉRITO IMPERFECTO	PRET. PLUSCUAMPERFECTO
cogía	había cogido
cogías	habías cogido
cogía	había cogido
cogíamos	habíamos cogido
cogíais	habíais cogido
cogían	habían cogido

PRETÉRITO INDEFINIDO

cogí	cogimos
cogiste	cogisteis
cogió	cogieron

FUTURO	FUTURO PERFECTO
cogeré	habré cogido
cogerás	habrás cogido
cogerá	habrá cogido
cogeremos	habremos cogido
cogeréis	habréis cogido
cogerán	habrán cogido

CONDICIONAL	CONDICIONAL PERFECTO
cogería	habría cogido
cogerías	habrías cogido
cogería	habría cogido
cogeríamos	habríamos cogido
cogeríais	habríais cogido
cogerían	habrían cogido

SUBJUNTIVO

TIEMPOS SIMPLES

PRESENTE	PRET. IMPERFECTO
coja	cogiera o cogiese
cojas	cogieras o cogieses
coja	cogiera o cogiese
cojamos	cogiéramos o cogiésemos
cojáis	cogierais o cogieseis
cojan	cogieran o cogiesen

TIEMPOS COMPUESTOS

PRET. PERFECTO	PRET. PLUSCUAMPERFECTO
haya cogido	hubiera o hubiese cogido
hayas cogido	hubieras o hubieses cogido
haya cogido	hubiera o hubiese cogido
hayamos cogido	hubiéramos o hubiésemos cogido
hayáis cogido	hubierais o hubieseis cogido
hayan cogido	hubieran o hubiesen cogido

IMPERATIVO

coge tú/ no cojas
coged vosotros/ no cojáis
cojamos nosotros/ no cojamos
coja usted/ no coja
cojan ustedes/ no cojan

 TÉRMINOS Y EXPRESIONES

La cogida
Coger el toro por los cuernos – *enfrentarse a los problemas cara a cara*
Cogerlas al vuelo – *entender rápidamente una cosa*

29 COLGAR

GERUNDIO: colgando   **PARTICIPIO:** colgado
G. COMPUESTO: habiendo colgado   **INF. COMPUESTO:** haber colgado

INDICATIVO

T. SIMPLES

PRESENTE
cuelgo
cuelgas
cuelga
colgamos
colgáis
cuelgan

PRETÉRITO IMPERFECTO
colgaba
colgabas
colgaba
colgábamos
colgabais
colgaban

PRETÉRITO INDEFINIDO
colgué	colgamos
colgaste	colgasteis
colgó	colgaron

FUTURO
colgaré
colgarás
colgará
colgaremos
colgaréis
colgarán

CONDICIONAL
colgaría
colgarías
colgaría
colgaríamos
colgaríais
colgarían

T. COMPUESTOS

PRETÉRITO PERFECTO
he colgado
has colgado
ha colgado
hemos colgado
habéis colgado
han colgado

PRET. PLUSCUAMPERFECTO
había colgado
habías colgado
había colgado
habíamos colgado
habíais colgado
habían colgado

FUTURO PERFECTO
habré colgado
habrás colgado
habrá colgado
habremos colgado
habréis colgado
habrán colgado

CONDICIONAL PERFECTO
habría colgado
habrías colgado
habría colgado
habríamos colgado
habríais colgado
habrían colgado

SUBJUNTIVO

TIEMPOS SIMPLES

PRESENTE
cuelgue
cuelgues
cuelgue
colguemos
colguéis
cuelguen

PRET. IMPERFECTO
colgara o colgase
colgaras o colgases
colgara o colgase
colgáramos o colgásemos
colgarais o colgaseis
colgaran o colgasen

TIEMPOS COMPUESTOS

PRET. PERFECTO
haya colgado
hayas colgado
haya colgado
hayamos colgado
hayáis colgado
hayan colgado

PRET. PLUSCUAMPERFECTO
hubiera o hubiese colgado
hubieras o hubieses colgado
hubiera o hubiese colgado
hubiéramos o hubiésemos colgado
hubierais o hubieseis colgado
hubieran o hubiesen colgado

IMPERATIVO

cuelga tú/ no cuelgues
colgad vosotros/ no colguéis
colguemos nosotros/ no colguemos
cuelgue usted/ no cuelgue
cuelguen ustedes/ no cuelguen

 TÉRMINOS Y EXPRESIONES

El colgador
La colgadura
El colgante
El cuelgue
Quedarse colgado – *bloquearse un ordenador temporalmente*

GERUNDIO: comiendo   **PARTICIPIO:** comido

G. COMPUESTO: habiendo comido   **INF. COMPUESTO:** haber comido

COMER 30

INDICATIVO

T. SIMPLES

PRESENTE

como
comes
come
comemos
coméis
comen

PRETÉRITO IMPERFECTO

comía
comías
comía
comíamos
comíais
comían

PRETÉRITO INDEFINIDO

comí	comimos
comiste	comisteis
comió	comieron

FUTURO

comeré
comerás
comerá
comeremos
comeréis
comerán

CONDICIONAL

comería
comerías
comería
comeríamos
comeríais
comerían

T. COMPUESTOS

PRETÉRITO PERFECTO

he comido
has comido
ha comido
hemos comido
habéis comido
han comido

PRET. PLUSCUAMPERFECTO

había comido
habías comido
había comido
habíamos comido
habíais comido
habían comido

FUTURO PERFECTO

habré comido
habrás comido
habrá comido
habremos comido
habréis comido
habrán comido

CONDICIONAL PERFECTO

habría comido
habrías comido
habría comido
habríamos comido
habríais comido
habrían comido

SUBJUNTIVO

TIEMPOS SIMPLES

PRESENTE

coma
comas
coma
comamos
comáis
coman

PRET. IMPERFECTO

comiera o comiese
comieras o comieses
comiera o comiese
comiéramos o comiésemos
comierais o comieseis
comieran o comiesen

TIEMPOS COMPUESTOS

PRET. PERFECTO	**PRET. PLUSCUAMPERFECTO**
haya comido	hubiera o hubiese comido
hayas comido	hubieras o hubieses comido
haya comido	hubiera o hubiese comido
hayamos comido	hubiéramos o hubiésemos comido
hayáis comido	hubierais o hubieseis comido
hayan comido	hubieran o hubiesen comido

IMPERATIVO

come tú/ no comas
comed vosotros/ no comáis
comamos nosotros/ no comamos
coma usted/ no coma
coman ustedes/ no coman

 TÉRMINOS Y EXPRESIONES

El comedor
La comida
La comilona
Comilón/ comilona
Comer como una lima – *comer mucho*

Comer con los ojos – *mirar intensamente a alguien*
Comer la sopa boba – *comer sin trabajar, vivir de los demás*
Comerse el coco – *preocuparse, pensar mucho en algo*
Comerse un marrón – *caer sobre alguien la culpa ajena*

31 COMPRAR

GERUNDIO: comprando
G. COMPUESTO: habiendo comprado

PARTICIPIO: comprado
INF. COMPUESTO: haber comprado

INDICATIVO

T. SIMPLES

PRESENTE

compro
compras
compra
compramos
compráis
compran

PRETÉRITO IMPERFECTO

compraba
comprabas
compraba
comprábamos
comprabais
compraban

PRETÉRITO INDEFINIDO

compré	compramos
compraste	comprasteis
compró	compraron

FUTURO

compraré
comprarás
comprará
compraremos
compraréis
comprarán

CONDICIONAL

compraría
comprarías
compraría
compraríamos
compraríais
comprarían

T. COMPUESTOS

PRETÉRITO PERFECTO

he comprado
has comprado
ha comprado
hemos comprado
habéis comprado
han comprado

PRET. PLUSCUAMPERFECTO

había comprado
habías comprado
había comprado
habíamos comprado
habíais comprado
habían comprado

FUTURO PERFECTO

habré comprado
habrás comprado
habrá comprado
habremos comprado
habréis comprado
habrán comprado

CONDICIONAL PERFECTO

habría comprado
habrías comprado
habría comprado
habríamos comprado
habríais comprado
habrían comprado

SUBJUNTIVO

TIEMPOS SIMPLES

PRESENTE

compre
compres
compre
compremos
compréis
compren

PRET. IMPERFECTO

comprara o comprase
compraras o comprases
comprara o comprase
compráramos o comprásemos
comprarais o compraseis
compraran o comprasen

TIEMPOS COMPUESTOS

PRET. PERFECTO

haya comprado
hayas comprado
haya comprado
hayamos comprado
hayáis comprado
hayan comprado

PRET. PLUSCUAMPERFECTO

hubiera o hubiese comprado
hubieras o hubieses comprado
hubiera o hubiese comprado
hubiéramos o hubiésemos comprado
hubierais o hubieseis comprado
hubieran o hubiesen comprado

IMPERATIVO

compra tú/ no compres
comprad vosotros/ no compréis
compremos nosotros/ no compremos
compre usted/ no compre
compren ustedes/ no compren

 TÉRMINOS Y EXPRESIONES

La compra
El comprador/ la compradora
La compraventa

GERUNDIO: conduciendo   **PARTICIPIO:** conducido
G. COMPUESTO: habiendo conducido   **INF. COMPUESTO:** haber conducido

CONDUCIR   32

INDICATIVO

T. SIMPLES

PRESENTE

conduzco
conduces
conduce
conducimos
conducís
conducen

PRETÉRITO IMPERFECTO

conducía
conducías
conducía
conducíamos
conducíais
conducían

PRETÉRITO INDEFINIDO

conduje	condujimos
condujiste	condujisteis
condujo	condujeron

FUTURO

conduciré
conducirás
conducirá
conduciremos
conduciréis
conducirán

CONDICIONAL

conduciría
conducirías
conduciría
conduciríamos
conduciríais
conducirían

T. COMPUESTOS

PRETÉRITO PERFECTO

he conducido
has conducido
ha conducido
hemos conducido
habéis conducido
han conducido

PRET. PLUSCUAMPERFECTO

había conducido
habías conducido
había conducido
habíamos conducido
habíais conducido
habían conducido

FUTURO PERFECTO

habré conducido
habrás conducido
habrá conducido
habremos conducido
habréis conducido
habrán conducido

CONDICIONAL PERFECTO

habría conducido
habrías conducido
habría conducido
habríamos conducido
habríais conducido
habrían conducido

SUBJUNTIVO

TIEMPOS SIMPLES

PRESENTE

conduzca
conduzcas
conduzca
conduzcamos
conduzcáis
conduzcan

PRET. IMPERFECTO

condujera o condujese
condujeras o condujeses
condujera o condujese
condujéramos o condujésemos
condujerais o condujeseis
condujeran o condujesen

TIEMPOS COMPUESTOS

PRET. PERFECTO

haya conducido
hayas conducido
haya conducido
hayamos conducido
hayáis conducido
hayan conducido

PRET. PLUSCUAMPERFECTO

hubiera o hubiese conducido
hubieras o hubieses conducido
hubiera o hubiese conducido
hubiéramos o hubiésemos conducido
hubierais o hubieseis conducido
hubieran o hubiesen conducido

IMPERATIVO

conduce tú/ no conduzcas
conducid vosotros/ no conduzcáis
conduzcamos nosotros/ no conduzcamos
conduzca usted/ no conduzca
conduzcan ustedes/ no conduzcan

 TÉRMINOS Y EXPRESIONES

La conducción   Conducir a toda pastilla – *a mucha velocidad*
El conducto
La conducta
El conductor/ la conductora

CONFIAR EN

Gerundio: confiando
G. compuesto: habiendo confiado

Participio: confiado
Inf. compuesto: haber confiado

INDICATIVO

T. SIMPLES

PRESENTE

confío
confías
confía
confiamos
confiáis
confían

PRETÉRITO IMPERFECTO

confiaba
confiabas
confiaba
confiábamos
confiabais
confiaban

PRETÉRITO INDEFINIDO

confié	confiamos
confiaste	confiasteis
confió	confiaron

FUTURO

confiaré
confiarás
confiará
confiaremos
confiaréis
confiarán

CONDICIONAL

confiaría
confiarías
confiaría
confiaríamos
confiaríais
confiarían

T. COMPUESTOS

PRETÉRITO PERFECTO

he confiado
has confiado
ha confiado
hemos confiado
habéis confiado
han confiado

PRET. PLUSCUAMPERFECTO

había confiado
habías confiado
había confiado
habíamos confiado
habíais confiado
habían confiado

FUTURO PERFECTO

habré confiado
habrás confiado
habrá confiado
habremos confiado
habréis confiado
habrán confiado

CONDICIONAL PERFECTO

habría confiado
habrías confiado
habría confiado
habríamos confiado
habríais confiado
habrían confiado

SUBJUNTIVO

TIEMPOS SIMPLES

PRESENTE

confíe
confíes
confíe
confiemos
confiéis
confíen

PRET. IMPERFECTO

confiara o confiase
confiaras o confiases
confiara o confiase
confiáramos o confiásemos
confiarais o confiaseis
confiaran o confiasen

TIEMPOS COMPUESTOS

PRET. PERFECTO

haya confiado
hayas confiado
haya confiado
hayamos confiado
hayáis confiado
hayan confiado

PRET. PLUSCUAMPERFECTO

hubiera o hubiese confiado
hubieras o hubieses confiado
hubiera o hubiese confiado
hubiéramos o hubiésemos confiado
hubierais o hubieseis confiado
hubieran o hubiesen confiado

IMPERATIVO

confía tú/ no confíes
confiad vosotros/ no confiéis
confiemos nosotros/ no confiemos
confíe usted/ no confíe
confíen ustedes/ no confíen

 TÉRMINOS Y EXPRESIONES

Confiarse
La confianza/ la desconfianza
La confidencia
La confidencialidad
El/ la confidente

Confiado/ -a
Desconfiado/ -a
Confiadamente
Confiar a ciegas en alguien – *tener confianza absoluta en alguien*

INDICATIVO

T. SIMPLES

PRESENTE

conozco
conoces
conoce
conocemos
conocéis
conocen

PRETÉRITO IMPERFECTO

conocía
conocías
conocía
conocíamos
conocíais
conocían

PRETÉRITO INDEFINIDO

conocí	conocimos
conociste	conocisteis
conoció	conocieron

FUTURO

conoceré
conocerás
conocerá
conoceremos
conoceréis
conocerán

CONDICIONAL

conocería
conocerías
conocería
conoceríamos
conoceríais
conocerían

T. COMPUESTOS

PRETÉRITO PERFECTO

he conocido
has conocido
ha conocido
hemos conocido
habéis conocido
han conocido

PRET. PLUSCUAMPERFECTO

había conocido
habías conocido
había conocido
habíamos conocido
habíais conocido
habían conocido

FUTURO PERFECTO

habré conocido
habrás conocido
habrá conocido
habremos conocido
habréis conocido
habrán conocido

CONDICIONAL PERFECTO

habría conocido
habrías conocido
habría conocido
habríamos conocido
habríais conocido
habrían conocido

SUBJUNTIVO

TIEMPOS SIMPLES

PRESENTE

conozca
conozcas
conozca
conozcamos
conozcáis
conozcan

PRET. IMPERFECTO

conociera o conociese
conocieras o conocieses
conociera o conociese
conociéramos o conociésemos
conocierais o conociescis
conocieran o conociesen

TIEMPOS COMPUESTOS

PRET. PERFECTO

haya conocido
hayas conocido
haya conocido
hayamos conocido
hayáis conocido
hayan conocido

PRET. PLUSCUAMPERFECTO

hubiera o hubiese conocido
hubieras o hubieses conocido
hubiera o hubiese conocido
hubiéramos o hubiésemos conocido
hubierais o hubieseis conocido
hubieran o hubiesen conocido

IMPERATIVO

conoce tú/ no conozcas
conoced vosotros/ no conozcáis
conozcamos nosotros/ no conozcamos
conozca usted/ no conozca
conozcan ustedes/ no conozcan

TÉRMINOS Y EXPRESIONES

Conocerse
El conocedor/ -a
El conocimiento

Conocido/ -a
Desconocido/ -a

35 CONSISTIR EN

Gerundio: consistiendo **Participio:** consistido
G. compuesto: habiendo consistido **Inf. compuesto:** haber consistido

---

INDICATIVO

T. SIMPLES

PRESENTE

consiste
consisten

PRETÉRITO IMPERFECTO

consistía
consistían

PRETÉRITO INDEFINIDO

consistió
consistieron

FUTURO

consistirá
consistirán

CONDICIONAL

consistiría
consistirían

T. COMPUESTOS

PRETÉRITO PERFECTO

ha consistido
han consistido

PRET. PLUSCUAMPERFECTO

había consistido
habían consistido

FUTURO PERFECTO

habrá consistido
habrán consistido

CONDICIONAL PERFECTO

habría consistido
habrían consistido

SUBJUNTIVO

TIEMPOS SIMPLES

PRESENTE

consista
consistan

PRET. IMPERFECTO

consistiera o consistiese
consistieran o consistiesen

TIEMPOS COMPUESTOS

PRET. PERFECTO

haya consistido
hayan consistido

PRET. PLUSCUAMPERFECTO

hubiera o hubiese consistido
hubieran o hubiesen consistido

TÉRMINOS Y EXPRESIONES

La consistencia
Consistente
Inconsistente

GERUNDIO: construyendo **PARTICIPIO:** construido
G. COMPUESTO: habiendo construido **INF. COMPUESTO:** haber construido

CONSTRUIR 36

INDICATIVO

T. SIMPLES

PRESENTE
construyo
construyes
construye
construimos
construís
construyen

PRETÉRITO IMPERFECTO
construía
construías
construía
construíamos
construíais
construían

PRETÉRITO INDEFINIDO
construí   construimos
construiste   construisteis
construyó   construyeron

FUTURO
construiré
construirás
construirá
construiremos
construiréis
construirán

CONDICIONAL
construiría
construirías
construiría
construiríamos
construiríais
construirían

T. COMPUESTOS

PRETÉRITO PERFECTO
he construido
has construido
ha construido
hemos construido
habéis construido
han construido

PRET. PLUSCUAMPERFECTO
había construido
habías construido
había construido
habíamos construido
habíais construido
habían construido

FUTURO PERFECTO
habré construido
habrás construido
habrá construido
habremos construido
habréis construido
habrán construido

CONDICIONAL PERFECTO
habría construido
habrías construido
habría construido
habríamos construido
habríais construido
habrían construido

SUBJUNTIVO

TIEMPOS SIMPLES

PRESENTE
construya
construyas
construya
construyamos
construyáis
construyan

PRET. IMPERFECTO
construyera o construyese
construyeras o construyeses
construyera o construyese
construyéramos o construyésemos
construyerais o construyeseis
construyeran o construyesen

TIEMPOS COMPUESTOS

PRET. PERFECTO
haya construido
hayas construido
haya construido
hayamos construido
hayáis construido
hayan construido

PRET. PLUSCUAMPERFECTO
hubiera o hubiese construido
hubieras o hubieses construido
hubiera o hubiese construido
hubiéramos o hubiésemos construido
hubierais o hubieseis construido
hubieran o hubiesen construido

IMPERATIVO

construye tú/ no construyas
construid vosotros/ no construyáis
construyamos nosotros/ no construyamos
construya usted/ no construya
construyan ustedes/ no construyan

TÉRMINOS Y EXPRESIONES

La construcción
El constructor/ la constructora
Constructivo/ -a

37 CONTAR

GERUNDIO: contando
G. COMPUESTO: habiendo contado

PARTICIPIO: contado
INF. COMPUESTO: haber contado

INDICATIVO

T. SIMPLES

PRESENTE

cuento
cuentas
cuenta
contamos
contáis
cuentan

PRETÉRITO IMPERFECTO

contaba
contabas
contaba
contábamos
contabais
contaban

PRETÉRITO INDEFINIDO

conté   contamos
contaste   contasteis
contó   contaron

FUTURO

contaré
contarás
contará
contaremos
contaréis
contarán

CONDICIONAL

contaría
contarías
contaría
contaríamos
contaríais
contarían

T. COMPUESTOS

PRETÉRITO PERFECTO

he contado
has contado
ha contado
hemos contado
habéis contado
han contado

PRET. PLUSCUAMPERFECTO

había contado
habías contado
había contado
habíamos contado
habíais contado
habían contado

FUTURO PERFECTO

habré contado
habrás contado
habrá contado
habremos contado
habréis contado
habrán contado

CONDICIONAL PERFECTO

habría contado
habrías contado
habría contado
habríamos contado
habríais contado
habrían contado

SUBJUNTIVO

TIEMPOS SIMPLES

PRESENTE

cuente
cuentes
cuente
contemos
contéis
cuenten

PRET. IMPERFECTO

contara o contase
contaras o contases
contara o contase
contáramos o contásemos
contarais o contaseis
contaran o contasen

TIEMPOS COMPUESTOS

PRET. PERFECTO

haya contado
hayas contado
haya contado
hayamos contado
hayáis contado
hayan contado

PRET. PLUSCUAMPERFECTO

hubiera o hubiese contado
hubieras o hubieses contado
hubiera o hubiese contado
hubiéramos o hubiésemos contado
hubierais o hubieseis contado
hubieran o hubiesen contado

IMPERATIVO

cuenta tú/ no cuentes
contad vosotros/ no contéis
contemos nosotros/ no contemos
cuente usted/ no cuente
cuenten ustedes/ no cuenten

 TÉRMINOS Y EXPRESIONES

El/ la contable
El contador
La cuenta
El cuento

Contar con algo/ con alguien – *confiar en algo o en alguien para un fin*
Contar algo con pelos y señales – *con mucho detalle*
¿Qué te cuentas? – *fórmula de saludo*

INDICATIVO

T. SIMPLES

PRESENTE

contesto
contestas
contesta
contestamos
contestáis
contestan

PRETÉRITO IMPERFECTO

contestaba
contestabas
contestaba
contestábamos
contestabais
contestaban

PRETÉRITO INDEFINIDO

contesté	contestamos
contestaste	contestasteis
contestó	contestaron

FUTURO

contestaré
contestarás
contestará
contestaremos
contestaréis
contestarán

CONDICIONAL

contestaría
contestarías
contestaría
contestaríamos
contestaríais
contestarían

T. COMPUESTOS

PRETÉRITO PERFECTO

he contestado
has contestado
ha contestado
hemos contestado
habéis contestado
han contestado

PRET. PLUSCUAMPERFECTO

había contestado
habías contestado
había contestado
habíamos contestado
habíais contestado
habían contestado

FUTURO PERFECTO

habré contestado
habrás contestado
habrá contestado
habremos contestado
habréis contestado
habrán contestado

CONDICIONAL PERFECTO

habría contestado
habrías contestado
habría contestado
habríamos contestado
habríais contestado
habrían contestado

SUBJUNTIVO

TIEMPOS SIMPLES

PRESENTE

conteste
contestes
conteste
contestemos
contestéis
contesten

PRET. IMPERFECTO

contestara o contestase
contestaras o contestases
contestara o contestase
contestáramos o contestásemos
contestarais o contestaseis
contestaran o contestasen

TIEMPOS COMPUESTOS

PRET. PERFECTO

haya contestado
hayas contestado
haya contestado
hayamos contestado
hayáis contestado
hayan contestado

PRET. PLUSCUAMPERFECTO

hubiera o hubiese contestado
hubieras o hubieses contestado
hubiera o hubiese contestado
hubiéramos o hubiésemos contestado
hubierais o hubieseis contestado
hubieran o hubiesen contestado

IMPERATIVO

contesta tú/ no contestes
contestad vosotros/ no contestéis
contestemos nosotros/ no contestemos
conteste usted/ no conteste
contesten ustedes/ no contesten

 TÉRMINOS Y EXPRESIONES

La contestación	Contestón/ contestona
El contestador	Incontestable
Contestatario/ -a	

39 CORREGIR

GERUNDIO: corrigiendo
G. COMPUESTO: habiendo corregido
PARTICIPIO: corregido
INF. COMPUESTO: haber corregido

INDICATIVO

T. SIMPLES

PRESENTE
corrijo
corriges
corrige
corregimos
corregís
corrigen

PRETÉRITO IMPERFECTO
corregía
corregías
corregía
corregíamos
corregíais
corregían

PRETÉRITO INDEFINIDO

corregí	corregimos
corregiste	corregisteis
corrigió	corrigieron

FUTURO
corregiré
corregirás
corregirá
corregiremos
corregiréis
corregirán

CONDICIONAL
corregiría
corregirías
corregiría
corregiríamos
corregiríais
corregirían

T. COMPUESTOS

PRETÉRITO PERFECTO
he corregido
has corregido
ha corregido
hemos corregido
habéis corregido
han corregido

PRET. PLUSCUAMPERFECTO
había corregido
habías corregido
había corregido
habíamos corregido
habíais corregido
habían corregido

FUTURO PERFECTO
habré corregido
habrás corregido
habrá corregido
habremos corregido
habréis corregido
habrán corregido

CONDICIONAL PERFECTO
habría corregido
habrías corregido
habría corregido
habríamos corregido
habríais corregido
habrían corregido

SUBJUNTIVO

TIEMPOS SIMPLES

PRESENTE
corrija
corrijas
corrija
corrijamos
corrijáis
corrijan

PRET. IMPERFECTO
corrigiera o corrigiese
corrigieras o corrigieses
corrigiera o corrigiese
corrigiéramos o corrigiésemos
corrigierais o corrigieseis
corrigieran o corrigiesen

TIEMPOS COMPUESTOS

PRET. PERFECTO
haya corregido
hayas corregido
haya corregido
hayamos corregido
hayáis corregido
hayan corregido

PRET. PLUSCUAMPERFECTO
hubiera o hubiese corregido
hubieras o hubieses corregido
hubiera o hubiese corregido
hubiéramos o hubiésemos corregido
hubierais o hubieseis corregido
hubieran o hubiesen corregido

IMPERATIVO

corrige tú/ no corrijas
corregid vosotros/ no corrijáis
corrijamos nosotros/ no corrijamos
corrija usted/ no corrija
corrijan ustedes/ no corrijan

 TÉRMINOS Y EXPRESIONES

La corrección
El correccional
El corrector/ la correctora

Corregible/ incorregible
Correctamente

GERUNDIO: costando   **PARTICIPIO:** costado
G. COMPUESTO: habiendo costado   **INF. COMPUESTO:** haber costado

COSTAR 40

INDICATIVO

T. SIMPLES | T. COMPUESTOS

PRESENTE	PRETÉRITO PERFECTO
cuesto	he costado
cuestas	has costado
cuesta	ha costado
costamos	hemos costado
costáis	habéis costado
cuestan	han costado

PRETÉRITO IMPERFECTO	PRET. PLUSCUAMPERFECTO
costaba	había costado
costabas	habías costado
costaba	había costado
costábamos	habíamos costado
costabais	habíais costado
costaban	habían costado

PRETÉRITO INDEFINIDO

costé	costamos
costaste	costasteis
costó	costaron

FUTURO	FUTURO PERFECTO
costaré	habré costado
costarás	habrás costado
costará	habrá costado
costaremos	habremos costado
costaréis	habréis costado
costarán	habrán costado

CONDICIONAL	CONDICIONAL PERFECTO
costaría	habría costado
costarías	habrías costado
costaría	habría costado
costaríamos	habríamos costado
costaríais	habríais costado
costarían	habrían costado

SUBJUNTIVO

TIEMPOS SIMPLES

PRESENTE	PRET. IMPERFECTO
cueste	costara o costase
cuestes	costaras o costases
cueste	costara o costase
costemos	costáramos o costásemos
costéis	costarais o costaseis
cuesten	costaran o costasen

TIEMPOS COMPUESTOS

PRET. PERFECTO	PRET. PLUSCUAMPERFECTO
haya costado	hubiera o hubiese costado
hayas costado	hubieras o hubieses costado
haya costado	hubiera o hubiese costado
hayamos costado	hubiéramos o hubiésemos costado
hayáis costado	hubierais o hubieseis costado
hayan costado	hubieran o hubiesen costado

IMPERATIVO

cuesta tú/ no cuestes
costad vosotros/ no costéis
costemos nosotros/ no costemos
cueste usted/ no cueste
cuesten ustedes/ no cuesten

TÉRMINOS Y EXPRESIONES

El coste
El costo
Costoso/ -a
Costar caro (a alguien un hecho) – *causar perjuicio o daño*
Costar un ojo de la cara/ un riñón – *costar mucho dinero*

GERUNDIO: creyendo
G. COMPUESTO: habiendo creído

PARTICIPIO: creído
INF. COMPUESTO: haber creído

INDICATIVO

T. SIMPLES

PRESENTE

creo
crees
cree
creemos
creéis
creen

PRETÉRITO IMPERFECTO

creía
creías
creía
creíamos
creíais
creían

PRETÉRITO INDEFINIDO

creí	creímos
creíste	creísteis
creyó	creyeron

FUTURO

creeré
creerás
creerá
creeremos
creeréis
creerán

CONDICIONAL

creería
creerías
creería
creeríamos
creeríais
creerían

T. COMPUESTOS

PRETÉRITO PERFECTO

he creído
has creído
ha creído
hemos creído
habéis creído
han creído

PRET. PLUSCUAMPERFECTO

había creído
habías creído
había creído
habíamos creído
habíais creído
habían creído

FUTURO PERFECTO

habré creído
habrás creído
habrá creído
habremos creído
habréis creído
habrán creído

CONDICIONAL PERFECTO

habría creído
habrías creído
habría creído
habríamos creído
habríais creído
habrían creído

SUBJUNTIVO

TIEMPOS SIMPLES

PRESENTE

crea
creas
crea
creamos
creáis
crean

PRET. IMPERFECTO

creyera o creyese
creyeras o creyeses
creyera o creyese
creyéramos o creyésemos
creyerais o creyeseis
creyeran o creyesen

TIEMPOS COMPUESTOS

PRET. PERFECTO

haya creído
hayas creído
haya creído
hayamos creído
hayáis creído
hayan creído

PRET. PLUSCUAMPERFECTO

hubiera o hubiese creído
hubieras o hubieses creído
hubiera o hubiese creído
hubiéramos o hubiésemos creído
hubierais o hubieseis creído
hubieran o hubiesen creído

IMPERATIVO

cree tú/ no creas
creed vosotros/ no creáis
creamos nosotros/ no creamos
crea usted/ no crea
crean ustedes/ no crean

TÉRMINOS Y EXPRESIONES

Creer en
Creerse
La credibilidad
La creencia
Creer a pies juntillas – *creer algo sin ninguna duda*
Creerse el ombligo del mundo – *pretender ser el centro de atención*

INDICATIVO

T. SIMPLES | T. COMPUESTOS

PRESENTE

doy	he dado
das	has dado
da	ha dado
damos	hemos dado
dais	habéis dado
dan	han dado

PRETÉRITO PERFECTO (T. COMPUESTOS header)

PRETÉRITO IMPERFECTO | **PRET. PLUSCUAMPERFECTO**

daba	había dado
dabas	habías dado
daba	había dado
dábamos	habíamos dado
dabais	habíais dado
daban	habían dado

PRETÉRITO INDEFINIDO

di	dimos
diste	disteis
dio	dieron

FUTURO | **FUTURO PERFECTO**

daré	habré dado
darás	habrás dado
dará	habrá dado
daremos	habremos dado
daréis	habréis dado
darán	habrán dado

CONDICIONAL | **CONDICIONAL PERFECTO**

daría	habría dado
darías	habrías dado
daría	habría dado
daríamos	habríamos dado
daríais	habríais dado
darían	habrían dado

SUBJUNTIVO

TIEMPOS SIMPLES

PRESENTE | **PRET. IMPERFECTO**

dé	diera o diese
des	dieras o dieses
dé	diera o diese
demos	diéramos o diésemos
deis	dierais o dieseis
den	dieran o diesen

TIEMPOS COMPUESTOS

PRET. PERFECTO | **PRET. PLUSCUAMPERFECTO**

haya dado	hubiera o hubiese dado
hayas dado	hubieras o hubieses dado
haya dado	hubiera o hubiese dado
hayamos dado	hubiéramos o hubiésemos dado
hayáis dado	hubierais o hubieseis dado
hayan dado	hubieran o hubiesen dado

IMPERATIVO

da tú/ no des
dad vosotros/ no deis
demos nosotros/ no demos
dé usted/ no dé
den ustedes/ no den

 TÉRMINOS Y EXPRESIONES

Dadivoso/ -a
Dar en el clavo – *acertar o adivinar algo*
Dar gato por liebre – *engañar, estafar*
Dar por hecho/ dar por sentado – *presuponer*
Dar mala espina – *sospechar algo malo de algo o de alguien*

Dar el pego – *engañar, hacer creer lo que no es*
Dar plantón – *no acudir a una cita*
Dar la vara/ la lata – *molestar*
Darse con un canto en los dientes – *conformarse*
Dárselas de algo – *presumir de cualidades que no se tienen*
No dar golpe – *no hacer nada, hacer el vago*

43 DECIDIR

GERUNDIO: decidiendo   **PARTICIPIO:** decidido
G. COMPUESTO: habiendo decidido   **INF. COMPUESTO:** haber decidido

---

INDICATIVO

T. SIMPLES

PRESENTE

decido
decides
decide
decidimos
decidís
deciden

PRETÉRITO IMPERFECTO

decidía
decidías
decidía
decidíamos
decidíais
decidían

PRETÉRITO INDEFINIDO

decidí	decidimos
decidiste	decidisteis
decidió	decidieron

FUTURO

decidiré
decidirás
decidirá
decidiremos
decidiréis
decidirán

CONDICIONAL

decidiría
decidirías
decidiría
decidiríamos
decidiríais
decidirían

T. COMPUESTOS

PRETÉRITO PERFECTO

he decidido
has decidido
ha decidido
hemos decidido
habéis decidido
han decidido

PRET. PLUSCUAMPERFECTO

había decidido
habías decidido
había decidido
habíamos decidido
habíais decidido
habían decidido

FUTURO PERFECTO

habré decidido
habrás decidido
habrá decidido
habremos decidido
habréis decidido
habrán decidido

CONDICIONAL PERFECTO

habría decidido
habrías decidido
habría decidido
habríamos decidido
habríais decidido
habrían decidido

SUBJUNTIVO

TIEMPOS SIMPLES

PRESENTE

decida
decidas
decida
decidamos
decidáis
decidan

PRET. IMPERFECTO

decidiera o decidiese
decidieras o decidieses
decidiera o decidiese
decidiéramos o decidiésemos
decidierais o decidieseis
decidieran o decidiesen

TIEMPOS COMPUESTOS

PRET. PERFECTO

haya decidido
hayas decidido
haya decidido
hayamos decidido
hayáis decidido
hayan decidido

PRET. PLUSCUAMPERFECTO

hubiera o hubiese decidido
hubieras o hubieses decidido
hubiera o hubiese decidido
hubiéramos o hubiésemos decidido
hubierais o hubieseis decidido
hubieran o hubiesen decidido

IMPERATIVO

decide tú/ no decidas
decidid vosotros/ no decidáis
decidamos nosotros/ no decidamos
decida usted/ no decida
decidan ustedes/ no decidan

 TÉRMINOS Y EXPRESIONES

Decidirse a/ por
La decisión
Indeciso/ -a
Decididamente

GERUNDIO: diciendo
G. COMPUESTO: habiendo dicho

PARTICIPIO: dicho
INF. COMPUESTO: haber dicho

INDICATIVO

T. SIMPLES	T. COMPUESTOS

PRESENTE | **PRETÉRITO PERFECTO**

digo	he dicho
dices	has dicho
dice	ha dicho
decimos	hemos dicho
decís	habéis dicho
dicen	han dicho

PRETÉRITO IMPERFECTO | **PRET. PLUSCUAMPERFECTO**

decía	había dicho
decías	habías dicho
decía	había dicho
decíamos	habíamos dicho
decíais	habíais dicho
decían	habían dicho

PRETÉRITO INDEFINIDO

dije	dijimos
dijiste	dijisteis
dijo	dijeron

FUTURO | **FUTURO PERFECTO**

diré	habré dicho
dirás	habrás dicho
dirá	habrá dicho
diremos	habremos dicho
diréis	habréis dicho
dirán	habrán dicho

CONDICIONAL | **CONDICIONAL PERFECTO**

diría	habría dicho
dirías	habrías dicho
diría	habría dicho
diríamos	habríamos dicho
diríais	habríais dicho
dirían	habrían dicho

SUBJUNTIVO

TIEMPOS SIMPLES

PRESENTE | **PRET. IMPERFECTO**

diga	dijera o dijese
digas	dijeras o dijeses
diga	dijera o dijese
digamos	dijéramos o dijésemos
digáis	dijerais o dijeseis
digan	dijeran o dijesen

TIEMPOS COMPUESTOS

PRET. PERFECTO | **PRET. PLUSCUAMPERFECTO**

haya dicho	hubiera o hubiese dicho
hayas dicho	hubieras o hubieses dicho
haya dicho	hubiera o hubiese dicho
hayamos dicho	hubiéramos o hubiésemos dicho
hayáis dicho	hubierais o hubieseis dicho
hayan dicho	hubieran o hubiesen dicho

IMPERATIVO

di tú/ no digas
decid vosotros/ no digáis
digamos nosotros/ no digamos
diga usted/ no diga
digan ustedes/ no digan

TÉRMINOS Y EXPRESIONES

El dicho
Dicho y hecho – *aceptar y realizar algo en el acto*

45 DESCANSAR

GERUNDIO: descansando **PARTICIPIO:** descansado
G. COMPUESTO: habiendo descansado **INF. COMPUESTO:** haber descansado

---

INDICATIVO

T. SIMPLES

PRESENTE

descanso
descansas
descansa
descansamos
descansáis
descansan

PRETÉRITO IMPERFECTO

descansaba
descansabas
descansaba
descansábamos
descansabais
descansaban

PRETÉRITO INDEFINIDO

descansé   descansamos
descansaste   descansasteis
descansó   descansaron

FUTURO

descansaré
descansarás
descansará
descansaremos
descansaréis
descansarán

CONDICIONAL

descansaría
descansarías
descansaría
descansaríamos
descansaríais
descansarían

T. COMPUESTOS

PRETÉRITO PERFECTO

he descansado
has descansado
ha descansado
hemos descansado
habéis descansado
han descansado

PRET. PLUSCUAMPERFECTO

había descansado
habías descansado
había descansado
habíamos descansado
habíais descansado
habían descansado

FUTURO PERFECTO

habré descansado
habrás descansado
habrá descansado
habremos descansado
habréis descansado
habrán descansado

CONDICIONAL PERFECTO

habría descansado
habrías descansado
habría descansado
habríamos descansado
habríais descansado
habrían descansado

SUBJUNTIVO

TIEMPOS SIMPLES

PRESENTE

descanse
descanses
descanse
descansemos
descanséis
descansen

PRET. IMPERFECTO

descansara o descansase
descansaras o descansases
descansara o descansase
descansáramos o descansásemos
descansarais o descansaseis
descansaran o descansasen

TIEMPOS COMPUESTOS

PRET. PERFECTO

haya descansado
hayas descansado
haya descansado
hayamos descansado
hayáis descansado
hayan descansado

PRET. PLUSCUAMPERFECTO

hubiera o hubiese descansado
hubieras o hubieses descansado
hubiera o hubiese descansado
hubiéramos o hubiésemos descansado
hubierais o hubieseis descansado
hubieran o hubiesen descansado

IMPERATIVO

descansa tú/ no descanses
descansad vosotros/ no descanséis
descansemos nosotros/ no descansemos
descanse usted/ no descanse
descansen ustedes/ no descansen

 TÉRMINOS Y EXPRESIONES

El descansillo
El descanso
Descansadamente
Descanse en paz – *fórmula que se usa cuando alguien muere*

INDICATIVO

T. SIMPLES

PRESENTE

me despido
te despides
se despide
nos despedimos
os despedís
se despiden

PRETÉRITO IMPERFECTO

me despedía
te despedías
se despedía
nos despedíamos
os despedíais
se despedían

PRETÉRITO INDEFINIDO

me despedí   nos despedimos
te despediste   os despedisteis
se despidió   se despidieron

FUTURO

me despediré
te despedirás
se despedirá
nos despediremos
os despediréis
se despedirán

CONDICIONAL

me despediría
te despedirías
se despediría
nos despediríamos
os despediríais
se despedirían

T. COMPUESTOS

PRETÉRITO PERFECTO

me he despedido
te has despedido
se ha despedido
nos hemos despedido
os habéis despedido
se han despedido

PRET. PLUSCUAMPERFECTO

me había despedido
te habías despedido
se había despedido
nos habíamos despedido
os habíais despedido
se habían despedido

FUTURO PERFECTO

me habré despedido
te habrás despedido
se habrá despedido
nos habremos despedido
os habréis despedido
se habrán despedido

CONDICIONAL PERFECTO

me habría despedido
te habrías despedido
se habría despedido
nos habríamos despedido
os habríais despedido
se habrían despedido

SUBJUNTIVO

TIEMPOS SIMPLES

PRESENTE

me despida
te despidas
se despida
nos despidamos
os despidáis
se despidan

PRET. IMPERFECTO

me despidiera o despidiese
te despidieras o despidieses
se despidiera o despidiese
nos despidiéramos o despidiésemos
os despidierais o despidieseis
se despidieran o despidiesen

TIEMPOS COMPUESTOS

PRET. PERFECTO

me haya despedido
te hayas despedido
se haya despedido
nos hayamos despedido
os hayáis despedido
se hayan despedido

PRET. PLUSCUAMPERFECTO

me hubiera o hubiese despedido
te hubieras o hubieses despedido
se hubiera o hubiese despedido
nos hubiéramos o hubiésemos despedido
os hubierais o hubieseis despedido
se hubieran o hubiesen despedido

IMPERATIVO

despídete tú/ no te despidas
despedíos vosotros/ no os despidáis
despidámonos nosotros/ no nos despidamos
despídase usted/ no se despida
despídanse ustedes/ no se despidan

 TÉRMINOS Y EXPRESIONES

La despedida
El despido
Despedir a alguien – *echar del trabajo*

47 DESPERTARSE

GERUNDIO: despertándose **PARTICIPIO:** despertado
G. COMPUESTO: habiéndose despertado **INF. COMPUESTO:** haberse despertado

---

INDICATIVO

T. SIMPLES

PRESENTE

me despierto
te despiertas
se despierta
nos despertamos
os despertáis
se despiertan

PRETÉRITO IMPERFECTO

me despertaba
te despertabas
se despertaba
nos despertábamos
os despertabais
se despertaban

PRETÉRITO INDEFINIDO

me desperté   nos despertamos
te despertaste   os despertasteis
se despertó   se despertaron

FUTURO

me despertaré
te despertarás
se despertará
nos despertaremos
os despertaréis
se despertarán

CONDICIONAL

me despertaría
te despertarías
se despertaría
nos despertaríamos
os despertaríais
se despertarían

T. COMPUESTOS

PRETÉRITO PERFECTO

me he despertado
te has despertado
se ha despertado
nos hemos despertado
os habéis despertado
se han despertado

PRET. PLUSCUAMPERFECTO

me había despertado
te habías despertado
se había despertado
nos habíamos despertado
os habíais despertado
se habían despertado

FUTURO PERFECTO

me habré despertado
te habrás despertado
se habrá despertado
nos habremos despertado
os habréis despertado
se habrán despertado

CONDICIONAL PERFECTO

me habría despertado
te habrías despertado
se habría despertado
nos habríamos despertado
os habríais despertado
se habrían despertado

SUBJUNTIVO

TIEMPOS SIMPLES

PRESENTE

me despierte
te despiertes
se despierte
nos despertemos
os despertéis
se despierten

PRET. IMPERFECTO

me despertara o despertase
te despertaras o despertases
se despertara o despertase
nos despertáramos o despertásemos
os despertarais o despertaseis
se despertaran o despertasen

TIEMPOS COMPUESTOS

PRET. PERFECTO

me haya despertado
te hayas despertado
se haya despertado
nos hayamos despertado
os hayáis despertado
se hayan despertado

PRET. PLUSCUAMPERFECTO

me hubiera o hubiese despertado
te hubieras o hubieses despertado
se hubiera o hubiese despertado
nos hubiéramos o hubiésemos despertado
os hubierais o hubieseis despertado
se hubieran o hubiesen despertado

IMPERATIVO

despiértate tú/ no te despiertes
despertaos vosotros/ no os despertéis
despertémonos nosotros/ no nos despertemos
despiértese usted/ no se despierte
despiértense ustedes/ no se despierten

 TÉRMINOS Y EXPRESIONES

El despertador
El despertar
Despierto/ -a

GERUNDIO: distinguiendo **PARTICIPIO:** distinguido
G. COMPUESTO: habiendo distinguido **INF. COMPUESTO:** haber distinguido

DISTINGUIR 48

INDICATIVO

T. SIMPLES

PRESENTE

distingo
distingues
distingue
distinguimos
distinguís
distinguen

PRETÉRITO IMPERFECTO

distinguía
distinguías
distinguía
distinguíamos
distinguíais
distinguían

PRETÉRITO INDEFINIDO

distinguí	distinguimos
distinguiste	distinguisteis
distinguió	distinguieron

FUTURO

distinguiré
distinguirás
distinguirá
distinguiremos
distinguiréis
distinguirán

CONDICIONAL

distinguiría
distinguirías
distinguiría
distinguiríamos
distinguiríais
distinguirían

T. COMPUESTOS

PRETÉRITO PERFECTO

he distinguido
has distinguido
ha distinguido
hemos distinguido
habéis distinguido
han distinguido

PRET. PLUSCUAMPERFECTO

había distinguido
habías distinguido
había distinguido
habíamos distinguido
habíais distinguido
habían distinguido

FUTURO PERFECTO

habré distinguido
habrás distinguido
habrá distinguido
habremos distinguido
habréis distinguido
habrán distinguido

CONDICIONAL PERFECTO

habría distinguido
habrías distinguido
habría distinguido
habríamos distinguido
habríais distinguido
habrían distinguido

SUBJUNTIVO

TIEMPOS SIMPLES

PRESENTE

distinga
distingas
distinga
distingamos
distingáis
distingan

PRET. IMPERFECTO

distinguiera o distinguiese
distinguieras o distinguieses
distinguiera o distinguiese
distinguiéramos o distinguiésemos
distinguierais o distinguieseis
distinguieran o distinguiesen

TIEMPOS COMPUESTOS

PRET. PERFECTO

haya distinguido
hayas distinguido
haya distinguido
hayamos distinguido
hayáis distinguido
hayan distinguido

PRET. PLUSCUAMPERFECTO

hubiera o hubiese distinguido
hubieras o hubieses distinguido
hubiera o hubiese distinguido
hubiéramos o hubiésemos distinguido
hubierais o hubieseis distinguido
hubieran o hubiesen distinguido

IMPERATIVO

distingue tú/ no distingas
distinguid vosotros/ no distingáis
distingamos nosotros/ no distingamos
distinga usted/ no distinga
distingan ustedes/ no distingan

 TÉRMINOS Y EXPRESIONES

Distinguirse por (algo)   Distinto/ -a
La distinción   Distinguidamente
El distintivo

49 DIVERTIRSE

GERUNDIO: divirtiéndose **PARTICIPIO:** divertido
G. COMPUESTO: habiéndose divertido **INF. COMPUESTO:** haberse divertido

INDICATIVO

T. SIMPLES

PRESENTE

me divierto
te diviertes
se divierte
nos divertimos
os divertís
se divierten

PRETÉRITO IMPERFECTO

me divertía
te divertías
se divertía
nos divertíamos
os divertíais
se divertían

PRETÉRITO INDEFINIDO

me divertí   nos divertimos
te divertiste   os divertisteis
se divirtió   se divirtieron

FUTURO

me divertiré
te divertirás
se divertirá
nos divertiremos
os divertiréis
se divertirán

CONDICIONAL

me divertiría
te divertirías
se divertiría
nos divertiríamos
os divertiríais
se divertirían

T. COMPUESTOS

PRETÉRITO PERFECTO

me he divertido
te has divertido
se ha divertido
nos hemos divertido
os habéis divertido
se han divertido

PRET. PLUSCUAMPERFECTO

me había divertido
te habías divertido
se había divertido
nos habíamos divertido
os habíais divertido
se habían divertido

FUTURO PERFECTO

me habré divertido
te habrás divertido
se habrá divertido
nos habremos divertido
os habréis divertido
se habrán divertido

CONDICIONAL PERFECTO

me habría divertido
te habrías divertido
se habría divertido
nos habríamos divertido
os habríais divertido
se habrían divertido

SUBJUNTIVO

TIEMPOS SIMPLES

PRESENTE

me divierta
te diviertas
se divierta
nos divirtamos
os divirtáis
se diviertan

PRET. IMPERFECTO

me divirtiera o divirtiese
te divirtieras o divirtieses
se divirtiera o divirtiese
nos divirtiéramos o divirtiésemos
os divirtierais o divirtieseis
se divirtieran o divirtiesen

TIEMPOS COMPUESTOS

PRET. PERFECTO

me haya divertido
te hayas divertido
se haya divertido
nos hayamos divertido
os hayáis divertido
se hayan divertido

PRET. PLUSCUAMPERFECTO

me hubiera o hubiese divertido
te hubieras o hubieses divertido
se hubiera o hubiese divertido
nos hubiéramos o hubiésemos divertido
os hubierais o hubieseis divertido
se hubieran o hubiesen divertido

IMPERATIVO

diviértete tú/ no te diviertas
divertíos vosotros/ no os divirtáis
divirtámonos nosotros/ no nos divirtamos
diviértase usted/ no se divierta
diviértanse ustedes/ no se diviertan

TÉRMINOS Y EXPRESIONES

La diversión
El divertimento
Divertido/ -a

GERUNDIO: doliendo   PARTICIPIO: dolido
G. COMPUESTO: habiendo dolido   INF. COMPUESTO: haber dolido

DOLER  50

INDICATIVO

T. SIMPLES

PRESENTE
duele
duelen

PRETÉRITO IMPERFECTO
dolía
dolían

PRETÉRITO INDEFINIDO
dolió
dolieron

FUTURO
dolerá
dolerán

CONDICIONAL
dolería
dolerían

T. COMPUESTOS

PRETÉRITO PERFECTO
ha dolido
han dolido

PRET. PLUSCUAMPERFECTO
había dolido
habían dolido

FUTURO PERFECTO
habrá dolido
habrán dolido

CONDICIONAL PERFECTO
habría dolido
habrían dolido

SUBJUNTIVO

TIEMPOS SIMPLES

PRESENTE	**PRET. IMPERFECTO**
duela	doliera o doliese
duelan	dolieran o doliesen

TIEMPOS COMPUESTOS

PRET. PERFECTO	**PRET. PLUSCUAMPERFECTO**
haya dolido	hubiera o hubiese dolido
hayan dolido	hubieran o hubiesen dolido

 TÉRMINOS Y EXPRESIONES

Dolerse   Dolorosamente
La dolencia   Ahí le duele – *ese es su punto débil*
El dolor
El duelo
Doloroso/ -a

51 DORMIR

GERUNDIO: durmiendo
G. COMPUESTO: habiendo dormido

PARTICIPIO: dormido
INF. COMPUESTO: haber dormido

INDICATIVO

T. SIMPLES

PRESENTE

duermo
duermes
duerme
dormimos
dormís
duermen

PRETÉRITO IMPERFECTO

dormía
dormías
dormía
dormíamos
dormíais
dormían

PRETÉRITO INDEFINIDO

dormí	dormimos
dormiste	dormisteis
durmió	durmieron

FUTURO

dormiré
dormirás
dormirá
dormiremos
dormiréis
dormirán

CONDICIONAL

dormiría
dormirías
dormiría
dormiríamos
dormiríais
dormirían

T. COMPUESTOS

PRETÉRITO PERFECTO

he dormido
has dormido
ha dormido
hemos dormido
habéis dormido
han dormido

PRET. PLUSCUAMPERFECTO

había dormido
habías dormido
había dormido
habíamos dormido
habíais dormido
habían dormido

FUTURO PERFECTO

habré dormido
habrás dormido
habrá dormido
habremos dormido
habréis dormido
habrán dormido

CONDICIONAL PERFECTO

habría dormido
habrías dormido
habría dormido
habríamos dormido
habríais dormido
habrían dormido

SUBJUNTIVO

TIEMPOS SIMPLES

PRESENTE

duerma
duermas
duerma
durmamos
durmáis
duerman

PRET. IMPERFECTO

durmiera o durmiese
durmieras o durmieses
durmiera o durmiese
durmiéramos o durmiésemos
durmierais o durmieseis
durmieran o durmiesen

TIEMPOS COMPUESTOS

PRET. PERFECTO

haya dormido
hayas dormido
haya dormido
hayamos dormido
hayáis dormido
hayan dormido

PRET. PLUSCUAMPERFECTO

hubiera o hubiese dormido
hubieras o hubieses dormido
hubiera o hubiese dormido
hubiéramos o hubiésemos dormido
hubierais o hubieseis dormido
hubieran o hubiesen dormido

IMPERATIVO

duerme tú/ no duermas
dormid vosotros/ no durmáis
durmamos nosotros/ no durmamos
duerma usted/ no duerma
duerman ustedes/ no duerman

 TÉRMINOS Y EXPRESIONES

Dormirse
El dormitorio
Dormilón/ dormilona
Durmiente
Dormir la mona – *dormir después de una borrachera*

Dormir a pierna suelta – *sin preocupaciones*
Dormir de un tirón – *sin pausa*
Dormir como un tronco/ un lirón – *profundamente*
Dormirse en los laureles – *relajarse demasiado tras haber alcanzado el éxito*

GERUNDIO: echando   PARTICIPIO: echado
G. COMPUESTO: habiendo echado   INF. COMPUESTO: haber echado

ECHAR  52

INDICATIVO

T. SIMPLES

PRESENTE

echo
echas
echa
echamos
echáis
echan

PRETÉRITO IMPERFECTO

echaba
echabas
echaba
echábamos
echabais
echaban

PRETÉRITO INDEFINIDO

eché   echamos
echaste   echasteis
echó   echaron

FUTURO

echaré
echarás
echará
echaremos
echaréis
echarán

CONDICIONAL

echaría
echarías
echaría
echaríamos
echaríais
echarían

T. COMPUESTOS

PRETÉRITO PERFECTO

he echado
has echado
ha echado
hemos echado
habéis echado
han echado

PRET. PLUSCUAMPERFECTO

había echado
habías echado
había echado
habíamos echado
habíais echado
habían echado

FUTURO PERFECTO

habré echado
habrás echado
habrá echado
habremos echado
habréis echado
habrán echado

CONDICIONAL PERFECTO

habría echado
habrías echado
habría echado
habríamos echado
habríais echado
habrían echado

SUBJUNTIVO

TIEMPOS SIMPLES

PRESENTE

eche
eches
eche
echemos
echéis
echen

PRET. IMPERFECTO

echara o echase
echaras o echases
echara o echase
echáramos o echásemos
echarais o echaseis
echaran o echasen

TIEMPOS COMPUESTOS

PRET. PERFECTO

haya echado
hayas echado
haya echado
hayamos echado
hayáis echado
hayan echado

PRET. PLUSCUAMPERFECTO

hubiera o hubiese echado
hubieras o hubieses echado
hubiera o hubiese echado
hubiéramos o hubiésemos echado
hubierais o hubieseis echado
hubieran o hubiesen echado

IMPERATIVO

echa tú/ no eches
echad vosotros/ no echéis
echemos nosotros/ no echemos
eche usted/ no eche
echen ustedes/ no echen

 TÉRMINOS Y EXPRESIONES

Echar a alguien – *obligar a salir a alguien de un lugar*
Echar en cara – *reprochar*
Echar una mano – *ayudar*
Echar de menos – *notar la ausencia de alguien*

Echar raíces – *establecerse en un lugar que no es el propio*
Echarse – *tumbarse*
Echarse atrás – *arrepentirse*
Echarse la siesta

53 ELEGIR

GERUNDIO: eligiendo
G. COMPUESTO: habiendo elegido

PARTICIPIO: elegido
INF. COMPUESTO: haber elegido

INDICATIVO

T. SIMPLES

PRESENTE

elijo
eliges
elige
elegimos
elegís
eligen

PRETÉRITO IMPERFECTO

elegía
elegías
elegía
elegíamos
elegíais
elegían

PRETÉRITO INDEFINIDO

elegí	elegimos
elegiste	elegisteis
eligió	eligieron

FUTURO

elegiré
elegirás
elegirá
elegiremos
elegiréis
elegirán

CONDICIONAL

elegiría
elegirías
elegiría
elegiríamos
elegiríais
elegirían

T. COMPUESTOS

PRETÉRITO PERFECTO

he elegido
has elegido
ha elegido
hemos elegido
habéis elegido
han elegido

PRET. PLUSCUAMPERFECTO

había elegido
habías elegido
había elegido
habíamos elegido
habíais elegido
habían elegido

FUTURO PERFECTO

habré elegido
habrás elegido
habrá elegido
habremos elegido
habréis elegido
habrán elegido

CONDICIONAL PERFECTO

habría elegido
habrías elegido
habría elegido
habríamos elegido
habríais elegido
habrían elegido

SUBJUNTIVO

TIEMPOS SIMPLES

PRESENTE

elija
elijas
elija
elijamos
elijáis
elijan

PRET. IMPERFECTO

eligiera o eligiese
eligieras o eligieses
eligiera o eligiese
eligiéramos o eligiésemos
eligierais o eligieseis
eligieran o eligiesen

TIEMPOS COMPUESTOS

PRET. PERFECTO

haya elegido
hayas elegido
haya elegido
hayamos elegido
hayáis elegido
hayan elegido

PRET. PLUSCUAMPERFECTO

hubiera o hubiese elegido
hubieras o hubieses elegido
hubiera o hubiese elegido
hubiéramos o hubiésemos elegido
hubierais o hubieseis elegido
hubieran o hubiesen elegido

IMPERATIVO

elige tú/ no elijas
elegid vosotros/ no elijáis
elijamos nosotros/ no elijamos
elija usted/ no elija
elijan ustedes/ no elijan

 TÉRMINOS Y EXPRESIONES

La elección
El electorado
El elector/ la electora
Electo/ -a
Electoral

INDICATIVO

T. SIMPLES | ### T. COMPUESTOS

PRESENTE

me enamoro	
te enamoras	
se enamora	
nos enamoramos	
os enamoráis	
se enamoran	

PRETÉRITO PERFECTO

me he enamorado
te has enamorado
se ha enamorado
nos hemos enamorado
os habéis enamorado
se han enamorado

PRETÉRITO IMPERFECTO

me enamoraba
te enamorabas
se enamoraba
nos enamorábamos
os enamorabais
se enamoraban

PRET. PLUSCUAMPERFECTO

me había enamorado
te habías enamorado
se había enamorado
nos habíamos enamorado
os habíais enamorado
se habían enamorado

PRETÉRITO INDEFINIDO

me enamoré	nos enamoramos
te enamoraste	os enamorasteis
se enamoró	se enamoraron

FUTURO

me enamoraré
te enamorarás
se enamorará
nos enamoraremos
os enamoraréis
se enamorarán

FUTURO PERFECTO

me habré enamorado
te habrás enamorado
se habrá enamorado
nos habremos enamorado
os habréis enamorado
se habrán enamorado

CONDICIONAL

me enamoraría
te enamorarías
se enamoraría
nos enamoraríamos
os enamoraríais
se enamorarían

CONDICIONAL PERFECTO

me habría enamorado
te habrías enamorado
se habría enamorado
nos habríamos enamorado
os habríais enamorado
se habrían enamorado

SUBJUNTIVO

TIEMPOS SIMPLES

PRESENTE

me enamore
te enamores
se enamore
nos enamoremos
os enamoréis
se enamoren

PRET. IMPERFECTO

me enamorara o enamorase
te enamoraras o enamorases
se enamorara o enamorase
nos enamoráramos o enamorásemos
os cnamorarais o enamoraseis
se enamoraran o enamorasen

TIEMPOS COMPUESTOS

PRET. PERFECTO

me haya enamorado
te hayas enamorado
se haya enamorado
nos hayamos enamorado
os hayáis enamorado
se hayan enamorado

PRET. PLUSCUAMPERFECTO

me hubiera o hubiese enamorado
te hubieras o hubieses enamorado
se hubiera o hubiese enamorado
nos hubiéramos o hubiésemos enamorado
os hubierais o hubieseis enamorado
se hubieran o hubiesen enamorado

IMPERATIVO

enamórate tú/ no te enamores
enamoraos vosotros/ no os enamoréis
enamorémonos nosotros/ no nos enamoremos
enamórese usted/ no se enamore
enamórense ustedes/ no se enamoren

 TÉRMINOS Y EXPRESIONES

El amor
El enamoramiento
Enamorado/ -a
Enamoradizo/ -a

GERUNDIO: encendiendo **PARTICIPIO:** encendido
G. COMPUESTO: habiendo encendido **INF. COMPUESTO:** haber encendido

INDICATIVO

T. SIMPLES

PRESENTE
enciendo
enciendes
enciende
encendemos
encendéis
encienden

PRETÉRITO IMPERFECTO
encendía
encendías
encendía
encendíamos
encendíais
encendían

PRETÉRITO INDEFINIDO
encendí	encendimos
encendiste	encendisteis
encendió	encendieron

FUTURO
encenderé
encenderás
encenderá
encenderemos
encenderéis
encenderán

CONDICIONAL
encendería
encenderías
encendería
encenderíamos
encenderíais
encenderían

T. COMPUESTOS

PRETÉRITO PERFECTO
he encendido
has encendido
ha encendido
hemos encendido
habéis encendido
han encendido

PRET. PLUSCUAMPERFECTO
había encendido
habías encendido
había encendido
habíamos encendido
habíais encendido
habían encendido

FUTURO PERFECTO
habré encendido
habrás encendido
habrá encendido
habremos encendido
habréis encendido
habrán encendido

CONDICIONAL PERFECTO
habría encendido
habrías encendido
habría encendido
habríamos encendido
habríais encendido
habrían encendido

SUBJUNTIVO

TIEMPOS SIMPLES

PRESENTE
encienda
enciendas
encienda
encendamos
encendáis
enciendan

PRET. IMPERFECTO
encendiera o encendiese
encendieras o encendieses
encendiera o encendiese
encendiéramos o encendiésemos
encendierais o encendieseis
encendieran o encendiesen

TIEMPOS COMPUESTOS

PRET. PERFECTO
haya encendido
hayas encendido
haya encendido
hayamos encendido
hayáis encendido
hayan encendido

PRET. PLUSCUAMPERFECTO
hubiera o hubiese encendido
hubieras o hubieses encendido
hubiera o hubiese encendido
hubiéramos o hubiésemos encendido
hubierais o hubieseis encendido
hubieran o hubiesen encendido

IMPERATIVO

enciende tú/ no enciendas
encended vosotros/ no encendáis
encendamos nosotros/ no encendamos
encienda usted/ no encienda
enciendan ustedes/ no enciendan

 TÉRMINOS Y EXPRESIONES

El encendedor
Estar encendido/ -a – *muy enfadado*
Encenderse la sangre – *enojarse*

GERUNDIO: encontrando **PARTICIPIO:** encontrado
G. COMPUESTO: habiendo encontrado **INF. COMPUESTO:** haber encontrado

ENCONTRAR 56

INDICATIVO

T. SIMPLES

PRESENTE

encuentro
encuentras
encuentra
encontramos
encontráis
encuentran

PRETÉRITO IMPERFECTO

encontraba
encontrabas
encontraba
encontrábamos
encontrabais
encontraban

PRETÉRITO INDEFINIDO

encontré	encontramos
encontraste	encontrasteis
encontró	encontraron

FUTURO

encontraré
encontrarás
encontrará
encontraremos
encontraréis
encontrarán

CONDICIONAL

encontraría
encontrarías
encontraría
encontraríamos
encontraríais
encontrarían

T. COMPUESTOS

PRETÉRITO PERFECTO

he encontrado
has encontrado
ha encontrado
hemos encontrado
habéis encontrado
han encontrado

PRET. PLUSCUAMPERFECTO

había encontrado
habías encontrado
había encontrado
habíamos encontrado
habíais encontrado
habían encontrado

FUTURO PERFECTO

habré encontrado
habrás encontrado
habrá encontrado
habremos encontrado
habréis encontrado
habrán encontrado

CONDICIONAL PERFECTO

habría encontrado
habrías encontrado
habría encontrado
habríamos encontrado
habríais encontrado
habrían encontrado

SUBJUNTIVO

TIEMPOS SIMPLES

PRESENTE

encuentre
encuentres
encuentre
encontremos
encontréis
encuentren

PRET. IMPERFECTO

encontrara o encontrase
encontraras o encontrases
encontrara o encontrase
encontráramos o encontrásemos
encontrarais o encontraseis
encontraran o encontrasen

TIEMPOS COMPUESTOS

PRET. PERFECTO

haya encontrado
hayas encontrado
haya encontrado
hayamos encontrado
hayáis encontrado
hayan encontrado

PRET. PLUSCUAMPERFECTO

hubiera o hubiese encontrado
hubieras o hubieses encontrado
hubiera o hubiese encontrado
hubiéramos o hubiésemos encontrado
hubierais o hubieseis encontrado
hubieran o hubiesen encontrado

IMPERATIVO

encuentra tú/ no encuentres
encontrad vosotros/ no encontréis
encontremos nosotros/ no encontremos
encuentre usted/ no encuentre
encuentren ustedes/ no encuentren

 TÉRMINOS Y EXPRESIONES

Encontrarse con
El encontronazo
El encuentro/ el desencuentro
Encontradizo/ -a

GERUNDIO: enfadándose   **PARTICIPIO:** enfadado
G. COMPUESTO: habiéndose enfadado **INF. COMPUESTO:** haberse enfadado

INDICATIVO

T. SIMPLES

PRESENTE

me enfado
te enfadas
se enfada
nos enfadamos
os enfadáis
se enfadan

PRETÉRITO IMPERFECTO

me enfadaba
te enfadabas
se enfadaba
nos enfadábamos
os enfadabais
se enfadaban

PRETÉRITO INDEFINIDO

me enfadé	nos enfadamos
te enfadaste	os enfadasteis
se enfadó	se enfadaron

FUTURO

me enfadaré
te enfadarás
se enfadará
nos enfadaremos
os enfadaréis
se enfadarán

CONDICIONAL

me enfadaría
te enfadarías
se enfadaría
nos enfadaríamos
os enfadaríais
se enfadarían

T. COMPUESTOS

PRETÉRITO PERFECTO

me he enfadado
te has enfadado
se ha enfadado
nos hemos enfadado
os habéis enfadado
se han enfadado

PRET. PLUSCUAMPERFECTO

me había enfadado
te habías enfadado
se había enfadado
nos habíamos enfadado
os habíais enfadado
se habían enfadado

FUTURO PERFECTO

me habré enfadado
te habrás enfadado
se habrá enfadado
nos habremos enfadado
os habréis enfadado
se habrán enfadado

CONDICIONAL PERFECTO

me habría enfadado
te habrías enfadado
se habría enfadado
nos habríamos enfadado
os habríais enfadado
se habrían enfadado

SUBJUNTIVO

TIEMPOS SIMPLES

PRESENTE

me enfade
te enfades
se enfade
nos enfademos
os enfadéis
se enfaden

PRET. IMPERFECTO

me enfadara o enfadase
te enfadaras o enfadases
se enfadara o enfadase
nos enfadáramos o enfadásemos
os enfadarais o enfadaseis
se enfadaran o enfadasen

TIEMPOS COMPUESTOS

PRET. PERFECTO

me haya enfadado
te hayas enfadado
se haya enfadado
nos hayamos enfadado
os hayáis enfadado
se hayan enfadado

PRET. PLUSCUAMPERFECTO

me hubiera o hubiese enfadado
te hubieras o hubieses enfadado
se hubiera o hubiese enfadado
nos hubiéramos o hubiésemos enfadado
os hubierais o hubieseis enfadado
se hubieran o hubiesen enfadado

IMPERATIVO

enfádate tú/ no te enfades
enfadaos vosotros/ no os enfadéis
enfadémonos nosotros/ no nos enfademos
enfádese usted/ no se enfade
enfádense ustedes/ no se enfaden

TÉRMINOS Y EXPRESIONES

Enfadarse por
Enfadarse con
El enfado

INDICATIVO

T. SIMPLES

PRESENTE

enseño
enseñas
enseña
enseñamos
enseñáis
enseñan

PRETÉRITO IMPERFECTO

enseñaba
enseñabas
enseñaba
cnscñábamos
enseñabais
enseñaban

PRETÉRITO INDEFINIDO

enseñé   enseñamos
enseñaste   enseñasteis
enseñó   enseñaron

FUTURO

enseñaré
enseñarás
enseñará
enseñaremos
enseñaréis
enseñarán

CONDICIONAL

enseñaría
enseñarías
enseñaría
enseñaríamos
enseñaríais
enseñarían

T. COMPUESTOS

PRETÉRITO PERFECTO

he enseñado
has enseñado
ha enseñado
hemos enseñado
habéis enseñado
han enseñado

PRET. PLUSCUAMPERFECTO

había enseñado
habías enseñado
había enseñado
habíamos enseñado
habíais enseñado
habían enseñado

FUTURO PERFECTO

habré enseñado
habrás enseñado
habrá enseñado
habremos enseñado
habréis enseñado
habrán enseñado

CONDICIONAL PERFECTO

habría enseñado
habrías enseñado
habría enseñado
habríamos enseñado
habríais enseñado
habrían enseñado

SUBJUNTIVO

TIEMPOS SIMPLES

PRESENTE

enseñe
enseñes
enseñe
enseñemos
enseñéis
enseñen

PRET. IMPERFECTO

enseñara o enseñase
enseñaras o enseñases
enseñara o enseñase
enseñáramos o enseñásemos
enseñarais o enseñaseis
enseñaran o enseñasen

TIEMPOS COMPUESTOS

PRET. PERFECTO

haya enseñado
hayas enseñado
haya enseñado
hayamos enseñado
hayáis enseñado
hayan enseñado

PRET. PLUSCUAMPERFECTO

hubiera o hubiese enseñado
hubieras o hubieses enseñado
hubiera o hubiese enseñado
hubiéramos o hubiésemos enseñado
hubierais o hubieseis enseñado
hubieran o hubiesen enseñado

IMPERATIVO

enseña tú/ no enseñes
enseñad vosotros/ no enseñéis
enseñemos nosotros/ no enseñemos
enseñe usted/ no enseñe
enseñen ustedes/ no enseñen

 TÉRMINOS Y EXPRESIONES

El/ la enseñante
La enseñanza
Enseñable

59 ENTENDER

GERUNDIO: entendiendo
PARTICIPIO: entendido
G. COMPUESTO: habiendo entendido
INF. COMPUESTO: haber entendido

INDICATIVO

T. SIMPLES

PRESENTE
entiendo
entiendes
entiende
entendemos
entendéis
entienden

PRETÉRITO IMPERFECTO
entendía
entendías
entendía
entendíamos
entendíais
entendían

PRETÉRITO INDEFINIDO
entendí	entendimos
entendiste	entendisteis
entendió	entendieron

FUTURO
entenderé
entenderás
entenderá
entenderemos
entenderéis
entenderán

CONDICIONAL
entendería
entenderías
entendería
entenderíamos
entenderíais
entenderían

T. COMPUESTOS

PRETÉRITO PERFECTO
he entendido
has entendido
ha entendido
hemos entendido
habéis entendido
han entendido

PRET. PLUSCUAMPERFECTO
había entendido
habías entendido
había entendido
habíamos entendido
habíais entendido
habían entendido

FUTURO PERFECTO
habré entendido
habrás entendido
habrá entendido
habremos entendido
habréis entendido
habrán entendido

CONDICIONAL PERFECTO
habría entendido
habrías entendido
habría entendido
habríamos entendido
habríais entendido
habrían entendido

SUBJUNTIVO

TIEMPOS SIMPLES

PRESENTE
entienda
entiendas
entienda
entendamos
entendáis
entiendan

PRET. IMPERFECTO
entendiera o entendiese
entendieras o entendieses
entendiera o entendiese
entendiéramos o entendiésemos
entendierais o entendieseis
entendieran o entendiesen

TIEMPOS COMPUESTOS

PRET. PERFECTO
haya entendido
hayas entendido
haya entendido
hayamos entendido
hayáis entendido
hayan entendido

PRET. PLUSCUAMPERFECTO
hubiera o hubiese entendido
hubieras o hubieses entendido
hubiera o hubiese entendido
hubiéramos o hubiésemos entendido
hubierais o hubieseis entendido
hubieran o hubiesen entendido

IMPERATIVO

entiende tú/ no entiendas
entended vosotros/ no entendáis
entendamos nosotros/ no entendamos
entienda usted/ no entienda
entiendan ustedes/ no entiendan

 TÉRMINOS Y EXPRESIONES

Entenderse con	Entendible/ inteligible
El entendimiento	Dar a entender algo – *insinuar algo*
El malentendido	Ser un entendido en – *ser un experto*

INDICATIVO

T. SIMPLES

PRESENTE

me entero
te enteras
se entera
nos enteramos
os enteráis
se enteran

PRETÉRITO IMPERFECTO

me enteraba
te enterabas
se enteraba
nos enterábamos
os enterabais
se enteraban

PRETÉRITO INDEFINIDO

me enteré   nos enteramos
te enteraste   os enterasteis
se enteró   se enteraron

FUTURO

me enteraré
te enterarás
se enterará
nos enteraremos
os enteraréis
se enterarán

CONDICIONAL

me enteraría
te enterarías
se enteraría
nos enteraríamos
os enteraríais
se enterarían

T. COMPUESTOS

PRETÉRITO PERFECTO

me he enterado
te has enterado
se ha enterado
nos hemos enterado
os habéis enterado
se han enterado

PRET. PLUSCUAMPERFECTO

me había enterado
te habías enterado
se había enterado
nos habíamos enterado
os habíais enterado
se habían enterado

FUTURO PERFECTO

me habré enterado
te habrás enterado
se habrá enterado
nos habremos enterado
os habréis enterado
se habrán enterado

CONDICIONAL PERFECTO

me habría enterado
te habrías enterado
se habría enterado
nos habríamos enterado
os habríais enterado
se habrían enterado

SUBJUNTIVO

TIEMPOS SIMPLES

PRESENTE

me entere
te enteres
se entere
nos enteremos
os enteréis
se enteren

PRET. IMPERFECTO

me enterara o enterase
te enteraras o enterases
se enterara o enterase
nos enteráramos o enterásemos
os enterarais o enteraseis
se enteraran o enterasen

TIEMPOS COMPUESTOS

PRET. PERFECTO

me haya enterado
te hayas enterado
se haya enterado
nos hayamos enterado
os hayáis enterado
se hayan enterado

PRET. PLUSCUAMPERFECTO

me hubiera o hubiese enterado
te hubieras o hubieses enterado
se hubiera o hubiese enterado
nos hubiéramos o hubiésemos enterado
os hubierais o hubieseis enterado
se hubieran o hubiesen enterado

IMPERATIVO

entérate tú/ no te enteres
enteraos vosotros/ no os enteréis
enterémonos nosotros/ no nos enteremos
entérese usted/ no se entere
entérense ustedes/ no se enteren

 TÉRMINOS Y EXPRESIONES

Darse por enterado – *mostrar que un asunto se conoce*
Enterarse de lo que vale un peine – *advertir sobre consecuencias futuras*
Te vas a enterar – *fórmula de amenaza*

61 ENTRAR

GERUNDIO: entrando **PARTICIPIO:** entrado
G. COMPUESTO: habiendo entrado **INF. COMPUESTO:** haber entrado

INDICATIVO

T. SIMPLES

PRESENTE

entro
entras
entra
entramos
entráis
entran

PRETÉRITO IMPERFECTO

entraba
entrabas
entraba
entrábamos
entrabais
entraban

PRETÉRITO INDEFINIDO

entré   entramos
entraste   entrasteis
entró   entraron

FUTURO

entraré
entrarás
entrará
entraremos
entraréis
entrarán

CONDICIONAL

entraría
entrarías
entraría
entraríamos
entraríais
entrarían

T. COMPUESTOS

PRETÉRITO PERFECTO

he entrado
has entrado
ha entrado
hemos entrado
habéis entrado
han entrado

PRET. PLUSCUAMPERFECTO

había entrado
habías entrado
había entrado
habíamos entrado
habíais entrado
habían entrado

FUTURO PERFECTO

habré entrado
habrás entrado
habrá entrado
habremos entrado
habréis entrado
habrán entrado

CONDICIONAL PERFECTO

habría entrado
habrías entrado
habría entrado
habríamos entrado
habríais entrado
habrían entrado

SUBJUNTIVO

TIEMPOS SIMPLES

PRESENTE

entre
entres
entre
entremos
entréis
entren

PRET. IMPERFECTO

entrara o entrase
entraras o entrases
entrara o entrase
entráramos o entrásemos
entrarais o entraseis
entraran o entrasen

TIEMPOS COMPUESTOS

PRET. PERFECTO

haya entrado
hayas entrado
haya entrado
hayamos entrado
hayáis entrado
hayan entrado

PRET. PLUSCUAMPERFECTO

hubiera o hubiese entrado
hubieras o hubieses entrado
hubiera o hubiese entrado
hubiéramos o hubiésemos entrado
hubierais o hubieseis entrado
hubieran o hubiesen entrado

IMPERATIVO

entra tú/ no entres
entrad vosotros/ no entréis
entremos nosotros/ no entremos
entre usted/ no entre
entren ustedes/ no entren

 TÉRMINOS Y EXPRESIONES

La entrada
El entrante
Entrar por el aro – *aceptar algo que en un principio se rechazaba*
No entrarle a uno una cosa – *no entender*
Tener entradas – *calvicie parcial*

GERUNDIO: envolviendo **PARTICIPIO:** envuelto
G. COMPUESTO: habiendo envuelto **INF. COMPUESTO:** haber envuelto

ENVOLVER 62

INDICATIVO

T. SIMPLES | T. COMPUESTOS

PRESENTE

envuelvo
envuelves
envuelve
envolvemos
envolvéis
envuelven

PRETÉRITO PERFECTO

he envuelto
has envuelto
ha envuelto
hemos envuelto
habéis envuelto
han envuelto

PRETÉRITO IMPERFECTO

envolvía
envolvías
envolvía
envolvíamos
envolvíais
envolvían

PRET. PLUSCUAMPERFECTO

había envuelto
habías envuelto
había envuelto
habíamos envuelto
habíais envuelto
habían envuelto

PRETÉRITO INDEFINIDO

envolví   envolvimos
envolviste   envolvisteis
envolvió   envolvieron

FUTURO

envolveré
envolverás
envolverá
envolveremos
envolveréis
envolverán

FUTURO PERFECTO

habré envuelto
habrás envuelto
habrá envuelto
habremos envuelto
habréis envuelto
habrán envuelto

CONDICIONAL

envolvería
envolverías
envolvería
envolveríamos
envolveríais
envolverían

CONDICIONAL PERFECTO

habría envuelto
habrías envuelto
habría envuelto
habríamos envuelto
habríais envuelto
habrían envuelto

SUBJUNTIVO

TIEMPOS SIMPLES

PRESENTE

envuelva
envuelvas
envuelva
envolvamos
envolváis
envuelvan

PRET. IMPERFECTO

envolviera o envolviese
envolvieras o envolvieses
envolviera o envolviese
envolviéramos o envolviésemos
envolvierais o envolvieseis
envolvieran o envolviesen

TIEMPOS COMPUESTOS

PRET. PERFECTO

haya envuelto
hayas envuelto
haya envuelto
hayamos envuelto
hayáis envuelto
hayan envuelto

PRET. PLUSCUAMPERFECTO

hubiera o hubiese envuelto
hubieras o hubieses envuelto
hubiera o hubiese envuelto
hubiéramos o hubiésemos envuelto
hubierais o hubieseis envuelto
hubieran o hubiesen envuelto

IMPERATIVO

envuelve tú/ no envuelvas
envolved vosotros/ no envolváis
envolvamos nosotros/ no envolvamos
envuelva usted/ no envuelva
envuelvan ustedes/ no envuelvan

TÉRMINOS Y EXPRESIONES

El envoltorio
La envoltura
El envolvimiento
Envolvente

63 ESCRIBIR

GERUNDIO: escribiendo
G. COMPUESTO: habiendo escrito

PARTICIPIO: escrito
INF. COMPUESTO: haber escrito

INDICATIVO

T. SIMPLES

PRESENTE
escribo
escribes
escribe
escribimos
escribís
escriben

PRETÉRITO IMPERFECTO
escribía
escribías
escribía
escribíamos
escribíais
escribían

PRETÉRITO INDEFINIDO
escribí	escribimos
escribiste	escribisteis
escribió	escribieron

FUTURO
escribiré
escribirás
escribirá
escribiremos
escribiréis
escribirán

CONDICIONAL
escribiría
escribirías
escribiría
escribiríamos
escribiríais
escribirían

T. COMPUESTOS

PRETÉRITO PERFECTO
he escrito
has escrito
ha escrito
hemos escrito
habéis escrito
han escrito

PRET. PLUSCUAMPERFECTO
había escrito
habías escrito
había escrito
habíamos escrito
habíais escrito
habían escrito

FUTURO PERFECTO
habré escrito
habrás escrito
habrá escrito
habremos escrito
habréis escrito
habrán escrito

CONDICIONAL PERFECTO
habría escrito
habrías escrito
habría escrito
habríamos escrito
habríais escrito
habrían escrito

SUBJUNTIVO

TIEMPOS SIMPLES

PRESENTE
escriba
escribas
escriba
escribamos
escribáis
escriban

PRET. IMPERFECTO
escribiera o escribiese
escribieras o escribieses
escribiera o escribiese
escribiéramos o escribiésemos
escribierais o escribieseis
escribieran o escribiesen

TIEMPOS COMPUESTOS

PRET. PERFECTO
haya escrito
hayas escrito
haya escrito
hayamos escrito
hayáis escrito
hayan escrito

PRET. PLUSCUAMPERFECTO
hubiera o hubiese escrito
hubieras o hubieses escrito
hubiera o hubiese escrito
hubiéramos o hubiésemos escrito
hubierais o hubieseis escrito
hubieran o hubiesen escrito

IMPERATIVO

escribe tú/ no escribas
escribid vosotros/ no escribáis
escribamos nosotros/ no escribamos
escriba usted/ no escriba
escriban ustedes/ no escriban

 TÉRMINOS Y EXPRESIONES

La escritura
El escrito
El escritor/ la escritora
El escritorio
Escribir a mano/ a máquina/ a ordenador

GERUNDIO: escuchando **PARTICIPIO:** escuchado
G. COMPUESTO: habiendo escuchado **INF. COMPUESTO:** haber escuchado

ESCUCHAR 64

INDICATIVO

T. SIMPLES

PRESENTE

escucho
escuchas
escucha
escuchamos
escucháis
escuchan

PRETÉRITO IMPERFECTO

escuchaba
escuchabas
escuchaba
escuchábamos
cscuchabais
escuchaban

PRETÉRITO INDEFINIDO

escuché   escuchamos
escuchaste   escuchasteis
escuchó   escucharon

FUTURO

escucharé
escucharás
escuchará
escucharemos
escucharéis
escucharán

CONDICIONAL

escucharía
escucharías
escucharía
escucharíamos
escucharíais
escucharían

T. COMPUESTOS

PRETÉRITO PERFECTO

he escuchado
has escuchado
ha escuchado
hemos escuchado
habéis escuchado
han escuchado

PRET. PLUSCUAMPERFECTO

había escuchado
habías escuchado
había escuchado
habíamos escuchado
habíais escuchado
habían escuchado

FUTURO PERFECTO

habré escuchado
habrás escuchado
habrá escuchado
habremos escuchado
habréis escuchado
habrán escuchado

CONDICIONAL PERFECTO

habría escuchado
habrías escuchado
habría escuchado
habríamos escuchado
habríais escuchado
habrían escuchado

SUBJUNTIVO

TIEMPOS SIMPLES

PRESENTE

escuche
escuches
escuche
escuchemos
escuchéis
escuchen

PRET. IMPERFECTO

escuchara o escuchase
escucharas o escuchases
escuchara o escuchase
escucháramos o escuchásemos
escucharais o escuchaseis
escucharan o cscuchasen

TIEMPOS COMPUESTOS

PRET. PERFECTO

haya escuchado
hayas escuchado
haya escuchado
hayamos escuchado
hayáis escuchado
hayan escuchado

PRET. PLUSCUAMPERFECTO

hubiera o hubiese escuchado
hubieras o hubieses escuchado
hubiera o hubiese cscuchado
hubiéramos o hubiésemos escuchado
hubierais o hubieseis escuchado
hubieran o hubiesen escuchado

IMPERATIVO

escucha tú/ no escuches
escuchad vosotros/ no escuchéis
escuchemos nosotros/ no escuchemos
escuche usted/ no escuche
escuchen ustedes/ no escuchen

 TÉRMINOS Y EXPRESIONES

La escucha

65 ESTAR

GERUNDIO: estando
G. COMPUESTO: habiendo estado

PARTICIPIO: estado
INF. COMPUESTO: haber estado

INDICATIVO

T. SIMPLES

PRESENTE

estoy
estás
está
estamos
estáis
están

PRETÉRITO IMPERFECTO

estaba
estabas
estaba
estábamos
estabais
estaban

PRETÉRITO INDEFINIDO

estuve	estuvimos
estuviste	estuvisteis
estuvo	estuvieron

FUTURO

estaré
estarás
estará
estaremos
estaréis
estarán

CONDICIONAL

estaría
estarías
estaría
estaríamos
estaríais
estarían

T. COMPUESTOS

PRETÉRITO PERFECTO

he estado
has estado
ha estado
hemos estado
habéis estado
han estado

PRET. PLUSCUAMPERFECTO

había estado
habías estado
había estado
habíamos estado
habíais estado
habían estado

FUTURO PERFECTO

habré estado
habrás estado
habrá estado
habremos estado
habréis estado
habrán estado

CONDICIONAL PERFECTO

habría estado
habrías estado
habría estado
habríamos estado
habríais estado
habrían estado

SUBJUNTIVO

TIEMPOS SIMPLES

PRESENTE

esté
estés
esté
estemos
estéis
estén

PRET. IMPERFECTO

estuviera o estuviese
estuvieras o estuvieses
estuviera o estuviese
estuviéramos o estuviésemos
estuvierais o estuvieseis
estuvieran o estuviesen

TIEMPOS COMPUESTOS

PRET. PERFECTO

haya estado
hayas estado
haya estado
hayamos estado
hayáis estado
hayan estado

PRET. PLUSCUAMPERFECTO

hubiera o hubiese estado
hubieras o hubieses estado
hubiera o hubiese estado
hubiéramos o hubiésemos estado
hubierais o hubieseis estado
hubieran o hubiesen estado

IMPERATIVO

Está tú/ no estés
Estad vosotros/ no estéis
Estemos nosotros/ no estemos
Esté usted/ no esté
Estén ustedes/ no estén

 TÉRMINOS Y EXPRESIONES

El estado
Está que muerde – *muy enfadado*
Estar en babia/ en las nubes – *estar distraído, despistado*
Estar sin blanca – *sin dinero*
Estar chupado – *ser muy fácil*

Estar en estado – *estar embarazada*
Estar hecho polvo – *estar muy cansado, agotado o deprimido*
Estar al loro – *estar pendiente de algo*
Estar con la mosca detrás de la oreja – *desconfiar, sospechar*
Estar por las nubes – *ser muy caro*
Estar verde – *no tener experiencia*

GERUNDIO: estudiando **PARTICIPIO:** estudiado
G. COMPUESTO: habiendo estudiado **INF. COMPUESTO:** haber estudiado

ESTUDIAR  66

INDICATIVO

T. SIMPLES

PRESENTE

estudio
estudias
estudia
estudiamos
estudiáis
estudian

PRETÉRITO IMPERFECTO

estudiaba
estudiabas
estudiaba
estudiábamos
estudiabals
estudiaban

PRETÉRITO INDEFINIDO

estudié	estudiamos
estudiaste	estudiasteis
estudió	estudiaron

FUTURO

estudiaré
estudiarás
estudiará
estudiaremos
estudiaréis
estudiarán

CONDICIONAL

estudiaría
estudiarías
estudiaría
estudiaríamos
estudiaríais
estudiarían

T. COMPUESTOS

PRETÉRITO PERFECTO

he estudiado
has estudiado
ha estudiado
hemos estudiado
habéis estudiado
han estudiado

PRET. PLUSCUAMPERFECTO

había estudiado
habías estudiado
había estudiado
habíamos estudiado
habíais estudiado
habían estudiado

FUTURO PERFECTO

habré estudiado
habrás estudiado
habrá estudiado
habremos estudiado
habréis estudiado
habrán estudiado

CONDICIONAL PERFECTO

habría estudiado
habrías estudiado
habría estudiado
habríamos estudiado
habríais estudiado
habrían estudiado

SUBJUNTIVO

TIEMPOS SIMPLES

PRESENTE

estudie
estudies
estudie
estudiemos
estudiéis
estudien

PRET. IMPERFECTO

estudiara o estudiase
estudiaras o estudiases
estudiara o estudiase
estudiáramos o estudiásemos
estudiarais o estudiaseis
estudiaran o estudiasen

TIEMPOS COMPUESTOS

PRET. PERFECTO

haya estudiado
hayas estudiado
haya estudiado
hayamos estudiado
hayáis estudiado
hayan estudiado

PRET. PLUSCUAMPERFECTO

hubiera o hubiese estudiado
hubieras o hubieses estudiado
hubiera o hubiese estudiado
hubiéramos o hubiésemos estudiado
hubierais o hubieseis estudiado
hubieran o hubiesen estudiado

IMPERATIVO

estudia tú/ no estudies
estudiad vosotros/ no estudiéis
estudiemos nosotros/ no estudiemos
estudie usted/ no estudie
estudien ustedes/ no estudien

 TÉRMINOS Y EXPRESIONES

El estudio
El/ la estudiante
El estudioso/ la estudiosa

GERUNDIO: fiándose
G. COMPUESTO: habiéndose fiado

PARTICIPIO: fiado
INF. COMPUESTO: haberse fiado

INDICATIVO

T. SIMPLES

PRESENTE

me fío
te fías
se fía
nos fiamos
os fiáis
se fían

PRETÉRITO IMPERFECTO

me fiaba
te fiabas
se fiaba
nos fiábamos
os fiabais
se fiaban

PRETÉRITO INDEFINIDO

me fié	nos fiamos
te fiaste	os fiasteis
se fió	se fiaron

FUTURO

me fiaré
te fiarás
se fiará
nos fiaremos
os fiaréis
se fiarán

CONDICIONAL

me fiaría
te fiarías
se fiaría
nos fiaríamos
os fiaríais
se fiarían

T. COMPUESTOS

PRETÉRITO PERFECTO

me he fiado
te has fiado
se ha fiado
nos hemos fiado
os habéis fiado
se han fiado

PRET. PLUSCUAMPERFECTO

me había fiado
te habías fiado
se había fiado
nos habíamos fiado
os habíais fiado
se habían fiado

FUTURO PERFECTO

me habré fiado
te habrás fiado
se habrá fiado
nos habremos fiado
os habréis fiado
se habrán fiado

CONDICIONAL PERFECTO

me habría fiado
te habrías fiado
se habría fiado
nos habríamos fiado
os habríais fiado
se habrían fiado

SUBJUNTIVO

TIEMPOS SIMPLES

PRESENTE

me fíe
te fíes
se fíe
nos fiemos
os fiéis
se fíen

PRET. IMPERFECTO

me fiara o fiase
te fiaras o fiases
se fiara o fiase
nos fiáramos o fiásemos
os fiarais o fiaseis
se fiaran o fiasen

TIEMPOS COMPUESTOS

PRET. PERFECTO

me haya fiado
te hayas fiado
se haya fiado
nos hayamos fiado
os hayáis fiado
se hayan fiado

PRET. PLUSCUAMPERFECTO

me hubiera o hubiese fiado
te hubieras o hubieses fiado
se hubiera o hubiese fiado
nos hubiéramos o hubiésemos fiado
os hubierais o hubieseis fiado
se hubieran o hubiesen fiado

IMPERATIVO

fíate tú/ no te fíes
fiaos vosotros/ no os fiéis
fiémonos nosotros/ no nos fiemos
fíese usted/ no se fíe
fíense ustedes/ no se fíen

TÉRMINOS Y EXPRESIONES

Fiar
La fiabilidad
La fianza
El fiador/ la fiadora
Fiable

INDICATIVO

T. SIMPLES

PRESENTE

hablo
hablas
habla
hablamos
habláis
hablan

PRETÉRITO IMPERFECTO

hablaba
hablabas
hablaba
hablábamos
hablabais
hablaban

PRETÉRITO INDEFINIDO

hablé	hablamos
hablaste	hablasteis
habló	hablaron

FUTURO

hablaré
hablarás
hablará
hablaremos
hablaréis
hablarán

CONDICIONAL

hablaría
hablarías
hablaría
hablaríamos
hablaríais
hablarían

T. COMPUESTOS

PRETÉRITO PERFECTO

he hablado
has hablado
ha hablado
hemos hablado
habéis hablado
han hablado

PRET. PLUSCUAMPERFECTO

había hablado
habías hablado
había hablado
habíamos hablado
habíais hablado
habían hablado

FUTURO PERFECTO

habré hablado
habrás hablado
habrá hablado
habremos hablado
habréis hablado
habrán hablado

CONDICIONAL PERFECTO

habría hablado
habrías hablado
habría hablado
habríamos hablado
habríais hablado
habrían hablado

SUBJUNTIVO

TIEMPOS SIMPLES

PRESENTE

hable
hables
hable
hablemos
habléis
hablen

PRET. IMPERFECTO

hablara o hablase
hablaras o hablases
hablara o hablase
habláramos o hablásemos
hablarais o hablaseis
hablaran o hablasen

TIEMPOS COMPUESTOS

PRET. PERFECTO

haya hablado
hayas hablado
haya hablado
hayamos hablado
hayáis hablado
hayan hablado

PRET. PLUSCUAMPERFECTO

hubiera o hubiese hablado
hubieras o hubieses hablado
hubiera o hubiese hablado
hubiéramos o hubiésemos hablado
hubierais o hubieseis hablado
hubieran o hubiesen hablado

IMPERATIVO

habla tú/ no hables
hablad vosotros/ no habléis
hablemos nosotros/ no hablemos
hable usted/ no hable
hablen ustedes/ no hablen

TÉRMINOS Y EXPRESIONES

Las habladurías
El/ la hablante
Hablador/ -a
Hablar por los codos – *hablar mucho*
Hablar como una cotorra – *hablar sin parar*
Hablar en cristiano – *hablar de forma comprensible*

Hablar entre dientes – *murmurar*
Hablar a gritos – *en voz muy alta*
Hablar por hablar – *hablar sin fundamento*

GERUNDIO: haciendo
G. COMPUESTO: habiendo hecho

PARTICIPIO: hecho
INF. COMPUESTO: haber hecho

INDICATIVO

T. SIMPLES

PRESENTE

hago
haces
hace
hacemos
hacéis
hacen

PRETÉRITO IMPERFECTO

hacía
hacías
hacía
hacíamos
hacíais
hacían

PRETÉRITO INDEFINIDO

hice	hicimos
hiciste	hicisteis
hizo	hicieron

FUTURO

haré
harás
hará
haremos
haréis
harán

CONDICIONAL

haría
harías
haría
haríamos
haríais
harían

T. COMPUESTOS

PRETÉRITO PERFECTO

he hecho
has hecho
ha hecho
hemos hecho
habéis hecho
han hecho

PRET. PLUSCUAMPERFECTO

había hecho
habías hecho
había hecho
habíamos hecho
habíais hecho
habían hecho

FUTURO PERFECTO

habré hecho
habrás hecho
habrá hecho
habremos hecho
habréis hecho
habrán hecho

CONDICIONAL PERFECTO

habría hecho
habrías hecho
habría hecho
habríamos hecho
habríais hecho
habrían hecho

SUBJUNTIVO

TIEMPOS SIMPLES

PRESENTE	**PRET. IMPERFECTO**
haga	hiciera o hiciese
hagas	hicieras o hicieses
haga	hiciera o hiciese
hagamos	hiciéramos o hiciésemos
hagáis	hicierais o hicieseis
hagan	hicieran o hiciesen

TIEMPOS COMPUESTOS

PRET. PERFECTO	**PRET. PLUSCUAMPERFECTO**
haya hecho	hubiera o hubiese hecho
hayas hecho	hubieras o hubieses hecho
haya hecho	hubiera o hubiese hecho
hayamos hecho	hubiéramos o hubiésemos hecho
hayáis hecho	hubierais o hubieseis hecho
hayan hecho	hubieran o hubiesen hecho

IMPERATIVO

haz tú/ no hagas
haced vosotros/ no hagáis
hagamos nosotros/ no hagamos
haga usted/ no haga
hagan ustedes/ no hagan

 TÉRMINOS Y EXPRESIONES

El deshecho
El hecho
Hacer buenas migas – *tener buena relación con alguien*
Hacer hincapié – *insistir*
Hacer la pelota – *adular*

Hacer el primo – *dejarse engañar de forma ingenua*
Hacer la vista gorda – *fingir no enterarse de algo*
Hacerse a algo/ a alguien – *acostumbrarse, habituarse*
Hacerse con algo – *dominar, controlar*
Hacerse el sueco – *fingir no estar enterado de algo*

GERUNDIO: huyendo

G. COMPUESTO: habiendo huido

PARTICIPIO: huido

INF. COMPUESTO: haber huido

INDICATIVO

T. SIMPLES | T. COMPUESTOS

PRESENTE	PRETÉRITO PERFECTO
huyo	he huido
huyes	has huido
huye	ha huido
huimos	hemos huido
huís	habéis huido
huyen	han huido

PRETÉRITO IMPERFECTO	PRET. PLUSCUAMPERFECTO
huía	había huido
huías	habías huido
huía	había huido
huíamos	habíamos huido
huíais	habíais huido
huían	habían huido

PRETÉRITO INDEFINIDO

huí	huimos
huiste	huisteis
huyó	huyeron

FUTURO	FUTURO PERFECTO
huiré	habré huido
huirás	habrás huido
huirá	habrá huido
huiremos	habremos huido
huiréis	habréis huido
huirán	habrán huido

CONDICIONAL	CONDICIONAL PERFECTO
huiría	habría huido
huirías	habrías huido
huiría	habría huido
huiríamos	habríamos huido
huiríais	habríais huido
huirían	habrían huido

SUBJUNTIVO

TIEMPOS SIMPLES

PRESENTE	PRET. IMPERFECTO
huya	huyera o huyese
huyas	huyeras o huyeses
huya	huyera o huyese
huyamos	huyéramos o huyésemos
huyáis	huyerais o huyeseis
huyan	huyeran o huyesen

TIEMPOS COMPUESTOS

PRET. PERFECTO	PRET. PLUSCUAMPERFECTO
haya huido	hubiera o hubiese huido
hayas huido	hubieras o hubieses huido
haya huido	hubiera o hubiese huido
hayamos huido	hubiéramos o hubiésemos huido
hayáis huido	hubierais o hubieseis huido
hayan huido	hubieran o hubiesen huido

IMPERATIVO

huye tú/ no huyas

huid vosotros/ no huyáis

huyamos nosotros/ no huyamos

huya usted/ no huya

huyan ustedes/ no huyan

TÉRMINOS Y EXPRESIONES

La huida

Huidizo/ -a

INSISTIR EN

GERUNDIO: insistiendo   **PARTICIPIO:** insistido
G. COMPUESTO: habiendo insistido   **INF. COMPUESTO:** haber insistido

INDICATIVO

T. SIMPLES

PRESENTE

insisto
insistes
insiste
insistimos
insistís
insisten

PRETÉRITO IMPERFECTO

insistía
insistías
insistía
insistíamos
insistíais
insistían

PRETÉRITO INDEFINIDO

insistí	insistimos
insististe	insististeis
insistió	insistieron

FUTURO

insistiré
insistirás
insistirá
insistiremos
insistiréis
insistirán

CONDICIONAL

insistiría
insistirías
insistiría
insistiríamos
insistiríais
insistirían

T. COMPUESTOS

PRETÉRITO PERFECTO

he insistido
has insistido
ha insistido
hemos insistido
habéis insistido
han insistido

PRET. PLUSCUAMPERFECTO

había insistido
habías insistido
había insistido
habíamos insistido
habíais insistido
habían insistido

FUTURO PERFECTO

habré insistido
habrás insistido
habrá insistido
habremos insistido
habréis insistido
habrán insistido

CONDICIONAL PERFECTO

habría insistido
habrías insistido
habría insistido
habríamos insistido
habríais insistido
habrían insistido

SUBJUNTIVO

TIEMPOS SIMPLES

PRESENTE

insista
insistas
insista
insistamos
insistáis
insistan

PRET. IMPERFECTO

insistiera o insistiese
insistieras o insistieses
insistiera o insistiese
insistiéramos o insistiésemos
insistierais o insistieseis
insistieran o insistiesen

TIEMPOS COMPUESTOS

PRET. PERFECTO

haya insistido
hayas insistido
haya insistido
hayamos insistido
hayáis insistido
hayan insistido

PRET. PLUSCUAMPERFECTO

hubiera o hubiese insistido
hubieras o hubieses insistido
hubiera o hubiese insistido
hubiéramos o hubiésemos insistido
hubierais o hubieseis insistido
hubieran o hubiesen insistido

IMPERATIVO

insiste tú/ no insistas
insistid vosotros/ no insistáis
insistamos nosotros/ no insistamos
insista usted/ no insista
insistan ustedes/ no insistan

TÉRMINOS Y EXPRESIONES

La insistencia
Insistente
Insistentemente

INDICATIVO

T. SIMPLES

PRESENTE
me intereso
te interesas
se interesa
nos interesamos
os interesáis
se interesan

PRETÉRITO IMPERFECTO
me interesaba
te interesabas
se interesaba
nos interesábamos
os interesabais
se interesaban

PRETÉRITO INDEFINIDO
me interesé   nos interesamos
te interesaste   os interesasteis
se interesó   se Interesaron

FUTURO
me interesaré
te interesarás
se interesará
nos interesaremos
os interesaréis
se interesarán

CONDICIONAL
me interesaría
te interesarías
se interesaría
nos interesaríamos
os interesaríais
se interesarían

T. COMPUESTOS

PRETÉRITO PERFECTO
me he interesado
te has interesado
se ha interesado
nos hemos interesado
os habéis interesado
se han interesado

PRET. PLUSCUAMPERFECTO
me había interesado
te habías interesado
se había interesado
nos habíamos interesado
os habíais interesado
se habían interesado

FUTURO PERFECTO
me habré interesado
te habrás interesado
se habrá interesado
nos habremos interesado
os habréis interesado
se habrán interesado

CONDICIONAL PERFECTO
me habría interesado
te habrías interesado
se habría interesado
nos habríamos interesado
os habríais interesado
se habrían interesado

SUBJUNTIVO

TIEMPOS SIMPLES

PRESENTE
me interese
te intereses
se interese
nos interesemos
os intereséis
se interesen

PRET. IMPERFECTO
me interesara o interesase
te interesaras o interesases
se interesara o interesase
nos interesáramos o interesásemos
os interesarais o interesaseis
se interesaran o interesasen

TIEMPOS COMPUESTOS

PRET. PERFECTO
me haya interesado
te hayas interesado
se haya interesado
nos hayamos interesado
os hayáis interesado
se hayan interesado

PRET. PLUSCUAMPERFECTO
me hubiera o hubiese interesado
te hubieras o hubieses interesado
se hubiera o hubiese interesado
nos hubiéramos o hubiésemos interesado
os hubierais o hubieseis interesado
se hubieran o hubiesen interesado

IMPERATIVO

interésate tú/ no te intereses
interesaos vosotros/ no os intereséis
interesémonos nosotros/ no nos interesemos
interésese usted/ no se interese
interésense ustedes/ no se interesen

 TÉRMINOS Y EXPRESIONES

Interesar – *causar interés*
El interés/ el desinterés
Interesante
Interesadamente/ desinteresadamente

GERUNDIO: yendo
G. COMPUESTO: habiendo ido

PARTICIPIO: ido
INF. COMPUESTO: haber ido

INDICATIVO

T. SIMPLES

PRESENTE

voy
vas
va
vamos
vais
van

PRETÉRITO IMPERFECTO

iba
ibas
iba
íbamos
ibais
iban

PRETÉRITO INDEFINIDO

fui	fuimos
fuiste	fuisteis
fue	fueron

FUTURO

iré
irás
irá
iremos
iréis
irán

CONDICIONAL

iría
irías
iría
iríamos
iríais
irían

T. COMPUESTOS

PRETÉRITO PERFECTO

he ido
has ido
ha ido
hemos ido
habéis ido
han ido

PRET. PLUSCUAMPERFECTO

había ido
habías ido
había ido
habíamos ido
habíais ido
habían ido

FUTURO PERFECTO

habré ido
habrás ido
habrá ido
habremos ido
habréis ido
habrán ido

CONDICIONAL PERFECTO

habría ido
habrías ido
habría ido
habríamos ido
habríais ido
habrían ido

SUBJUNTIVO

TIEMPOS SIMPLES

PRESENTE	**PRET. IMPERFECTO**
vaya	fuera o fuese
vayas	fueras o fueses
vaya	fuera o fuese
vayamos	fuéramos o fuésemos
vayáis	fuerais o fueseis
vayan	fueran o fuesen

TIEMPOS COMPUESTOS

PRET. PERFECTO	**PRET. PLUSCUAMPERFECTO**
haya ido	hubiera o hubiese ido
hayas ido	hubieras o hubieses ido
haya ido	hubiera o hubiese ido
hayamos ido	hubiéramos o hubiésemos ido
hayáis ido	hubierais o hubieseis ido
hayan ido	hubieran o hubiesen ido

IMPERATIVO

ve tú/ no vayas
id vosotros/ no vayáis
vamos nosotros/ no vayamos
vaya usted/ no vaya
vayan ustedes/ no vayan

 TÉRMINOS Y EXPRESIONES

Irse – *salir, marcharse*
La ida
Ir a la carrera – *andar o hacer las cosas muy deprisa*
Ir de compras/ de copas/ de vacaciones
Ir al grano – *fijarse solo en lo importante*

Ir en metro/ en tren/ en avión
Ir de punta en blanco – *vestido de manera elegante*
Irse de la lengua – *hablar más de lo que se debe*
Irse a pique – *fracasar/ hundirse*
Irse pitando – *marcharse de un lugar rápidamente*
Irse el santo al cielo – *olvidarse de hacer algo*

INDICATIVO

T. SIMPLES

PRESENTE

juego
juegas
juega
jugamos
jugáis
juegan

PRETÉRITO IMPERFECTO

jugaba
jugabas
jugaba
jugábamos
jugabals
jugaban

PRETÉRITO INDEFINIDO

jugué	jugamos
jugaste	jugasteis
jugó	jugaron

FUTURO

jugaré
jugarás
jugará
jugaremos
jugaréis
jugarán

CONDICIONAL

jugaría
jugarías
jugaría
jugaríamos
jugaríais
jugarían

T. COMPUESTOS

PRETÉRITO PERFECTO

he jugado
has jugado
ha jugado
hemos jugado
habéis jugado
han jugado

PRET. PLUSCUAMPERFECTO

había jugado
habías jugado
había jugado
habíamos jugado
habíais jugado
habían jugado

FUTURO PERFECTO

habré jugado
habrás jugado
habrá jugado
habremos jugado
habréis jugado
habrán jugado

CONDICIONAL PERFECTO

habría jugado
habrías jugado
habría jugado
habríamos jugado
habríais jugado
habrían jugado

SUBJUNTIVO

TIEMPOS SIMPLES

PRESENTE

juegue
juegues
juegue
juguemos
juguéis
jueguen

PRET. IMPERFECTO

jugara o jugase
jugaras o jugases
jugara o jugase
jugáramos o jugásemos
jugarais o jugaseis
jugaran o jugasen

TIEMPOS COMPUESTOS

PRET. PERFECTO

haya jugado
hayas jugado
haya jugado
hayamos jugado
hayáis jugado
hayan jugado

PRET. PLUSCUAMPERFECTO

hubiera o hubiese jugado
hubieras o hubieses jugado
hubiera o hubiese jugado
hubiéramos o hubiésemos jugado
hubierais o hubieseis jugado
hubieran o hubiesen jugado

IMPERATIVO

juega tú/ no juegues
jugad vosotros/ no juguéis
juguemos nosotros/ no juguemos
juegue usted/ no juegue
jueguen ustedes/ no jueguen

 TÉRMINOS Y EXPRESIONES

El juego
La jugada
El juguete
El jugador/ la jugadora
Estar fuera de juego – *estar al margen de una conversación*

Jugar con fuego – *actuar de forma arriesgada en situaciones de peligro*
Jugar limpio/ sucio – *actuar honestamente/ deshonestamente*
Jugarse el tipo/ la vida – *arriesgarse*
Jugarse el todo por el todo – *arriesgarse totalmente en una situación*
Jugársela – *arriesgarse*

GERUNDIO: leyendo
G. COMPUESTO: habiendo leído

PARTICIPIO: leído
INF. COMPUESTO: haber leído

INDICATIVO

T. SIMPLES

PRESENTE

leo
lees
lee
leemos
leéis
leen

PRETÉRITO IMPERFECTO

leía
leías
leía
leíamos
leíais
leían

PRETÉRITO INDEFINIDO

leí	leímos
leíste	leísteis
leyó	leyeron

FUTURO

leeré
leerás
leerá
leeremos
leeréis
leerán

CONDICIONAL

leería
leerías
leería
leeríamos
leeríais
leerían

T. COMPUESTOS

PRETÉRITO PERFECTO

he leído
has leído
ha leído
hemos leído
habéis leído
han leído

PRET. PLUSCUAMPERFECTO

había leído
habías leído
había leído
habíamos leído
habíais leído
habían leído

FUTURO PERFECTO

habré leído
habrás leído
habrá leído
habremos leído
habréis leído
habrán leído

CONDICIONAL PERFECTO

habría leído
habrías leído
habría leído
habríamos leído
habríais leído
habrían leído

SUBJUNTIVO

TIEMPOS SIMPLES

PRESENTE

lea
leas
lea
leamos
leáis
lean

PRET. IMPERFECTO

leyera o leyese
leyeras o leyeses
leyera o leyese
leyéramos o leyésemos
leyerais o leyeseis
leyeran o leyesen

TIEMPOS COMPUESTOS

PRET. PERFECTO

haya leído
hayas leído
haya leído
hayamos leído
hayáis leído
hayan leído

PRET. PLUSCUAMPERFECTO

hubiera o hubicse leído
hubieras o hubieses leído
hubiera o hubiese leído
hubiéramos o hubiésemos leído
hubierais o hubieseis leído
hubieran o hubiesen leído

IMPERATIVO

lee tú/ no leas
leed vosotros/ no leáis
leamos nosotros/ no leamos
lea usted/ no lea
lean ustedes/ no lean

TÉRMINOS Y EXPRESIONES

La lectura
El lector/ la lectora
Legible/ ilegible
Leer entre líneas – *interpretar más allá de lo evidente*

INDICATIVO

T. SIMPLES

PRESENTE
llueve

PRETÉRITO IMPERFECTO
llovía

PRETÉRITO INDEFINIDO
llovió

FUTURO
lloverá

CONDICIONAL
llovería

T. COMPUESTOS

PRETÉRITO PERFECTO
ha llovido

PRET. PLUSCUAMPERFECTO
había llovido

FUTURO PERFECTO
habrá llovido

CONDICIONAL PERFECTO
habría llovido

SUBJUNTIVO

TIEMPOS SIMPLES

PRESENTE
llueva

PRET. IMPERFECTO
lloviera o lloviese

TIEMPOS COMPUESTOS

PRET. PERFECTO
haya llovido

PRET. PLUSCUAMPERFECTO
hubiera o hubiese llovido

TÉRMINOS Y EXPRESIONES

La lluvia
Lluvioso/ -a
Llover a mares/ a cántaros – *llover de forma intensa*
(Le) llueven las críticas – *recibir muchas críticas*

GERUNDIO: marchándose **PARTICIPIO:** marchado
G. COMPUESTO: habiéndose marchado **INF. COMPUESTO:** haberse marchado

INDICATIVO

T. SIMPLES

PRESENTE

me marcho
te marchas
se marcha
nos marchamos
os marcháis
se marchan

PRETÉRITO IMPERFECTO

me marchaba
te marchabas
se marchaba
nos marchábamos
os marchabais
se marchaban

PRETÉRITO INDEFINIDO

me marché	nos marchamos
te marchaste	os marchasteis
se marchó	se marcharon

FUTURO

me marcharé
te marcharás
se marchará
nos marcharemos
os marcharéis
se marcharán

CONDICIONAL

me marcharía
te marcharías
se marcharía
nos marcharíamos
os marcharíais
se marcharían

T. COMPUESTOS

PRETÉRITO PERFECTO

me he marchado
te has marchado
se ha marchado
nos hemos marchado
os habéis marchado
se han marchado

PRET. PLUSCUAMPERFECTO

me había marchado
te habías marchado
se había marchado
nos habíamos marchado
os habíais marchado
se habían marchado

FUTURO PERFECTO

me habré marchado
te habrás marchado
se habrá marchado
nos habremos marchado
os habréis marchado
se habrán marchado

CONDICIONAL PERFECTO

me habría marchado
te habrías marchado
se habría marchado
nos habríamos marchado
os habríais marchado
se habrían marchado

SUBJUNTIVO

TIEMPOS SIMPLES

PRESENTE

me marche
te marches
se marche
nos marchemos
os marchéis
se marchen

PRET. IMPERFECTO

me marchara o marchase
te marcharas o marchases
se marchara o marchase
nos marcháramos o marchásemos
os marcharais o marchaseis
se marcharan o marchasen

TIEMPOS COMPUESTOS

PRET. PERFECTO

me haya marchado
te hayas marchado
se haya marchado
nos hayamos marchado
os hayáis marchado
se hayan marchado

PRET. PLUSCUAMPERFECTO

me hubiera o hubiese marchado
te hubieras o hubieses marchado
se hubiera o hubiese marchado
nos hubiéramos o hubiésemos marchado
os hubierais o hubieseis marchado
se hubieran o hubiesen marchado

IMPERATIVO

márchate tú/ no te marches
marchaos vosotros/ no os marchéis
marchémonos nosotros/ no nos marchemos
márchese usted/ no se marche
márchense ustedes/ no se marchen

 TÉRMINOS Y EXPRESIONES

Marchar
La marcha
Hacerlo sobre la marcha – *de forma improvisada*
Marchar bien/ mal – *funcionar bien o mal*

Marcharse de un lugar
Poner en marcha algo – *hacerlo funcionar/ comenzar algo*
Ponerse en marcha – *empezar a hacer algo/ salir de un lugar*

INDICATIVO

T. SIMPLES

PRESENTE

mezo
meces
mece
mecemos
mecéis
mecen

PRETÉRITO IMPERFECTO

mecía
mecías
mecía
mecíamos
mecíais
mecian

PRETÉRITO INDEFINIDO

mecí	mecimos
meciste	mecisteis
meció	mecieron

FUTURO

meceré
mecerás
mecerá
meceremos
meceréis
mecerán

CONDICIONAL

mecería
mecerías
mecería
meceríamos
meceríais
mecerían

T. COMPUESTOS

PRETÉRITO PERFECTO

he mecido
has mecido
ha mecido
hemos mecido
habéis mecido
han mecido

PRET. PLUSCUAMPERFECTO

había mecido
habías mecido
había mecido
habíamos mecido
habíais mecido
habían mecido

FUTURO PERFECTO

habré mecido
habrás mecido
habrá mecido
habremos mecido
habréis mecido
habrán mecido

CONDICIONAL PERFECTO

habría mecido
habrías mecido
habría mecido
habríamos mecido
habríais mecido
habrían mecido

SUBJUNTIVO

TIEMPOS SIMPLES

PRESENTE

meza
mezas
meza
mezamos
mezáis
mezan

PRET. IMPERFECTO

meciera o meciese
mecieras o mecieses
meciera o meciese
meciéramos o meciésemos
mecierais o mecieseis
mecieran o meciesen

TIEMPOS COMPUESTOS

PRET. PERFECTO

haya mecido
hayas mecido
haya mecido
hayamos mecido
hayáis mecido
hayan mecido

PRET. PLUSCUAMPERFECTO

hubiera o hubiese mecido
hubieras o hubieses mecido
hubiera o hubiese mecido
hubiéramos o hubiésemos mecido
hubierais o hubieseis mecido
hubieran o hubiesen mecido

IMPERATIVO

mece tú/ no mezas
meced vosotros/ no mezáis
mezamos nosotros/ no mezamos
meza usted/ no meza
mezan ustedes/ no mezan

TÉRMINOS Y EXPRESIONES

La mecedora
El mecedor

79 MENTIR

GERUNDIO: mintiendo
G. COMPUESTO: habiendo mentido
PARTICIPIO: mentido
INF. COMPUESTO: haber mentido

INDICATIVO

T. SIMPLES

PRESENTE

miento
mientes
miente
mentimos
mentís
mienten

PRETÉRITO IMPERFECTO

mentía
mentías
mentía
mentíamos
mentíais
mentían

PRETÉRITO INDEFINIDO

mentí	mentimos
mentiste	mentisteis
mintió	mintieron

FUTURO

mentiré
mentirás
mentirá
mentiremos
mentiréis
mentirán

CONDICIONAL

mentiría
mentirías
mentiría
mentiríamos
mentiríais
mentirían

T. COMPUESTOS

PRETÉRITO PERFECTO

he mentido
has mentido
ha mentido
hemos mentido
habéis mentido
han mentido

PRET. PLUSCUAMPERFECTO

había mentido
habías mentido
había mentido
habíamos mentido
habíais mentido
habían mentido

FUTURO PERFECTO

habré mentido
habrás mentido
habrá mentido
habremos mentido
habréis mentido
habrán mentido

CONDICIONAL PERFECTO

habría mentido
habrías mentido
habría mentido
habríamos mentido
habríais mentido
habrían mentido

SUBJUNTIVO

TIEMPOS SIMPLES

PRESENTE

mienta
mientas
mienta
mintamos
mintáis
mientan

PRET. IMPERFECTO

mintiera o mintiese
mintieras o mintieses
mintiera o mintiese
mintiéramos o mintiésemos
mintierais o mintieseis
mintieran o mintiesen

TIEMPOS COMPUESTOS

PRET. PERFECTO

haya mentido
hayas mentido
haya mentido
hayamos mentido
hayáis mentido
hayan mentido

PRET. PLUSCUAMPERFECTO

hubiera o hubiese mentido
hubieras o hubieses mentido
hubiera o hubiese mentido
hubiéramos o hubiésemos mentido
hubierais o hubieseis mentido
hubieran o hubiesen mentido

IMPERATIVO

miente tú/ no mientas
mentid vosotros/ no mintáis
mintamos nosotros/ no mintamos
mienta usted/ no mienta
mientan ustedes/ no mientan

 TÉRMINOS Y EXPRESIONES

La mentira
Mentiroso/ -a
Mentira piadosa – *la que se dice con buena intención para no causar daño*

GERUNDIO: metiendo   **PARTICIPIO:** metido

G. COMPUESTO: habiendo metido   **INF. COMPUESTO:** haber metido

METE

INDICATIVO

T. SIMPLES

PRESENTE	T. COMPUESTOS — PRETÉRITO PERFECTO
meto	he metido
metes	has metido
mete	ha metido
metemos	hemos metido
metéis	habéis metido
meten	han metido

PRETÉRITO IMPERFECTO	PRET. PLUSCUAMPERFECTO
metía	había metido
metías	habías metido
metía	había metido
metíamos	habíamos metido
metíais	habíais metido
metían	habían metido

PRETÉRITO INDEFINIDO

metí	metimos
metiste	metisteis
metió	metieron

FUTURO	FUTURO PERFECTO
meteré	habré metido
meterás	habrás metido
meterá	habrá metido
meteremos	habremos metido
meteréis	habréis metido
meterán	habrán metido

CONDICIONAL	CONDICIONAL PERFECTO
metería	habría metido
meterías	habrías metido
metería	habría metido
meteríamos	habríamos metido
meteríais	habríais metido
meterían	habrían metido

SUBJUNTIVO

TIEMPOS SIMPLES

PRESENTE	PRET. IMPERFECTO
meta	metiera o metiese
metas	metieras o metieses
meta	metiera o metiese
metamos	metiéramos o metiésemos
metáis	metierais o metieseis
metan	metieran o metiesen

TIEMPOS COMPUESTOS

PRET. PERFECTO	PRET. PLUSCUAMPERFECTO
haya metido	hubiera o hubiese metido
hayas metido	hubieras o hubieses metido
haya metido	hubiera o hubiese metido
hayamos metido	hubiéramos o hubiésemos metido
hayáis metido	hubierais o hubieseis metido
hayan metido	hubieran o hubiesen metido

IMPERATIVO

mete tú/ no metas
meted vosotros/ no metáis
metamos nosotros/ no metamos
meta usted/ no meta
metan ustedes/ no metan

TÉRMINOS Y EXPRESIONES

Meterse con alguien – *provocar a alguien criticándolo*
Meter baza – *intervenir en una conversación*
Meter la pata – *equivocarse o decir algo indebido*
Meterse en camisa de once varas – *iniciar acciones sin estar capacitado*
Metérsela doblada – *engañar a alguien*

GERUNDIO: moviendo   **PARTICIPIO:** movido
G. COMPUESTO: habiendo movido   **INF. COMPUESTO:** haber movido

CATIVO	**SUBJUNTIVO**

<table>
<tr><td>

T. COMPUESTOS

</td><td>

TIEMPOS SIMPLES

</td></tr>
</table>

PRETÉRITO PERFECTO	**PRESENTE**	**PRET. IMPERFECTO**
he movido	mueva	moviera o moviese
mueves — has movido	muevas	movieras o movieses
mueve — ha movido	mueva	moviera o moviese
movemos — hemos movido	movamos	moviéramos o moviésemos
movéis — habéis movido	mováis	movierais o movieseis
mueven — han movido	muevan	movieran o moviesen

PRETÉRITO IMPERFECTO	**PRET. PLUSCUAMPERFECTO**
movía	había movido
movías	habías movido
movía	había movido
movíamos	habíamos movido
movíais	habíais movido
movían	habían movido

TIEMPOS COMPUESTOS

PRET. PERFECTO	**PRET. PLUSCUAMPERFECTO**
haya movido	hubiera o hubiese movido
hayas movido	hubieras o hubieses movido
haya movido	hubiera o hubiese movido
hayamos movido	hubiéramos o hubiésemos movido
hayáis movido	hubierais o hubieseis movido
hayan movido	hubieran o hubiesen movido

PRETÉRITO INDEFINIDO

moví	movimos
moviste	movisteis
movió	movieron

FUTURO	**FUTURO PERFECTO**
moveré	habré movido
moverás	habrás movido
moverá	habrá movido
moveremos	habremos movido
moveréis	habréis movido
moverán	habrán movido

CONDICIONAL	**CONDICIONAL PERFECTO**
movería	habría movido
moverías	habrías movido
movería	habría movido
moveríamos	habríamos movido
moveríais	habríais movido
moverían	habrían movido

IMPERATIVO

mueve tú/ no muevas
moved vosotros/ no mováis
movamos nosotros/ no movamos
mueva usted/ no mueva
muevan ustedes/ no muevan

 TÉRMINOS Y EXPRESIONES

La movilidad/ la inmovilidad
La movilización
El movimiento
Movedizo/ -a
Movible/ inamovible
Móvil/ inmóvil

GERUNDIO: necesitando   **PARTICIPIO:** necesitado
G. COMPUESTO: habiendo necesitado   **INF. COMPUESTO:** haber necesitado

NECESITA

INDICATIVO

T. SIMPLES

PRESENTE

necesito
necesitas
necesita
necesitamos
necesitáis
necesitan

PRETÉRITO IMPERFECTO

necesitaba
necesitabas
necesitaba
necesitábamos
necesitabais
necesitaban

PRETÉRITO INDEFINIDO

necesité	necesitamos
necesitaste	necesitasteis
necesitó	necesitaron

FUTURO

necesitaré
necesltarás
necesitará
necesitaremos
necesitaréis
necesitarán

CONDICIONAL

necesitaría
necesitarías
necesitaría
necesitaríamos
necesitaríais
necesitarían

T. COMPUESTOS

PRETÉRITO PERFECTO

he necesitado
has necesitado
ha necesitado
hemos necesitado
habéis necesitado
han necesitado

PRET. PLUSCUAMPERFECTO

había necesitado
habías necesitado
había necesitado
habíamos necesitado
habíais necesitado
habían necesitado

FUTURO PERFECTO

habré necesitado
habrás necesitado
habrá necesitado
habremos necesitado
habréis necesitado
habrán necesitado

CONDICIONAL PERFECTO

habría necesitado
habrías necesitado
habría necesitado
habríamos necesitado
habríais necesitado
habrían necesitado

SUBJUNTIVO

TIEMPOS SIMPLES

PRESENTE

nccesite
necesites
necesite
necesitemos
necesitéis
necesiten

PRET. IMPERFECTO

necesitara o necesitase
necesitaras o necesitases
necesitara o necesitase
necesitáramos o necesitásemos
necesitarais o necesitaseis
necesitaran o necesitasen

TIEMPOS COMPUESTOS

PRET. PERFECTO

haya necesitado
hayas necesitado
haya necesitado
hayamos necesitado
hayáis necesitado
hayan necesitado

PRET. PLUSCUAMPERFECTO

hubiera o hubiese necesitado
hubieras o hubieses necesitado
hubiera o hubiese necesitado
hubiéramos o hubiésemos necesitado
hubierais o hubieseis necesitado
hubieran o hubiesen necesitado

IMPERATIVO

necesita tú/ no necesites
necesitad vosotros/ no necesitéis
necesitemos nosotros/ no necesitemos
necesite usted/ no necesite
necesiten ustedes/ no necesiten

 TÉRMINOS Y EXPRESIONES

El neceser
La necesidad
Necesario/ -a
Necesariamente

GERUNDIO: negando   PARTICIPIO: negado
G. COMPUESTO: habiendo negado   INF. COMPUESTO: haber negado

...ATIVO		SUBJUNTIVO	

	T. COMPUESTOS	TIEMPOS SIMPLES	
	PRETÉRITO PERFECTO	**PRESENTE**	**PRET. IMPERFECTO**
...gо	he negado	niegue	negara o negase
niegas	has negado	niegues	negaras o negases
niega	ha negado	niegue	negara o negase
negamos	hemos negado	neguemos	negáramos o negásemos
negáis	habéis negado	neguéis	negarais o negaseis
niegan	han negado	nieguen	negaran o negasen

PRETÉRITO IMPERFECTO	**PRET. PLUSCUAMPERFECTO**
negaba	había negado
negabas	habías negado
negaba	había negado
negábamos	habíamos negado
negabais	habíais negado
negaban	habían negado

TIEMPOS COMPUESTOS	

PRETÉRITO INDEFINIDO		**PRET. PERFECTO**	**PRET. PLUSCUAMPERFECTO**
negué	negamos	haya negado	hubiera o hubiese negado
negaste	negasteis	hayas negado	hubieras o hubieses negado
negó	negaron	haya negado	hubiera o hubiese negado
		hayamos negado	hubiéramos o hubiésemos negado
		hayáis negado	hubierais o hubieseis negado
FUTURO	**FUTURO PERFECTO**	hayan negado	hubieran o hubiesen negado
negaré	habré negado		
negarás	habrás negado		
negará	habrá negado		
negaremos	habremos negado		
negaréis	habréis negado		
negarán	habrán negado		

CONDICIONAL	**CONDICIONAL PERFECTO**	IMPERATIVO	
negaría	habría negado		
negarías	habrías negado	niega tú/ no niegues	
negaría	habría negado	negad vosotros/ no neguéis	
negaríamos	habríamos negado	neguemos nosotros/ no neguemos	
negaríais	habríais negado	niegue usted/ no niegue	
negarían	habrían negado	nieguen ustedes/ no nieguen	

 TÉRMINOS Y EXPRESIONES

Negarse a
La negación
Innegable
Negativo/ -a
Negarse en redondo – *negarse completamente*

GERUNDIO: nevando   **PARTICIPIO:** nevado
G. COMPUESTO: habiendo nevado   **INF. COMPUESTO:** haber nevado

INDICATIVO

T. SIMPLES | T. COMPUESTOS

PRESENTE

nieva

PRETÉRITO PERFECTO

ha nevado

PRETÉRITO IMPERFECTO

nevaba

PRET. PLUSCUAMPERFECTO

había nevado

PRETÉRITO INDEFINIDO

nevó

FUTURO

nevará

FUTURO PERFECTO

habrá nevado

CONDICIONAL

nevaría

CONDICIONAL PERFECTO

habría nevado

SUBJUNTIVO

TIEMPOS SIMPLES

PRESENTE

nieve

PRET. IMPERFECTO

nevara o nevase

TIEMPOS COMPUESTOS

PRET. PERFECTO

haya nevado

PRET. PLUSCUAMPERFECTO

hubiera o hubiese nevado

 TÉRMINOS Y EXPRESIONES

La nevada
La nevera
La nieve

85 **OÍR**

GERUNDIO: oyendo **PARTICIPIO:** oído
G. COMPUESTO: habiendo oído **INF. COMPUESTO:** haber oído

INDICATIVO

T. SIMPLES | T. COMPUESTOS

PRESENTE	PRETÉRITO PERFECTO
oigo	he oído
oyes	has oído
oye	ha oído
oímos	hemos oído
oís	habéis oído
oyen	han oído

PRETÉRITO IMPERFECTO	PRET. PLUSCUAMPERFECTO
oía	había oído
oías	habías oído
oía	había oído
oíamos	habíamos oído
oíais	habíais oído
oían	habían oído

PRETÉRITO INDEFINIDO

oí	oímos
oíste	oísteis
oyó	oyeron

FUTURO	FUTURO PERFECTO
oiré	habré oído
oirás	habrás oído
oirá	habrá oído
oiremos	habremos oído
oiréis	habréis oído
oirán	habrán oído

CONDICIONAL	CONDICIONAL PERFECTO
oiría	habría oído
oirías	habrías oído
oiría	habría oído
oiríamos	habríamos oído
oiríais	habríais oído
oirían	habrían oído

SUBJUNTIVO

TIEMPOS SIMPLES

PRESENTE	PRET. IMPERFECTO
oiga	oyera u oyese
oigas	oyeras u oyeses
oiga	oyera u oyese
oigamos	oyéramos u oyésemos
oigáis	oyerais u oyeseis
oigan	oyeran u oyesen

TIEMPOS COMPUESTOS

PRET. PERFECTO	PRET. PLUSCUAMPERFECTO
haya oído	hubiera o hubiese oído
hayas oído	hubieras o hubieses oído
haya oído	hubiera o hubiese oído
hayamos oído	hubiéramos o hubiésemos oído
hayáis oído	hubierais o hubieseis oído
hayan oído	hubieran o hubiesen oído

IMPERATIVO

oye tú/ no oigas
oíd vosotros/ no oigáis
oigamos nosotros/ no oigamos
oiga usted/ no oiga
oiga ustedes/ no oigan

 TÉRMINOS Y EXPRESIONES

La audición — Audible/ inaudible
El audífono — Auditivo/ -a
El auditorio — Hacer oídos sordos – *ignorar voluntariamente algo*
El oído
El/ la oyente

INDICATIVO

T. SIMPLES

PRESENTE

huelo
hueles
huele
olemos
oléis
huelen

PRETÉRITO IMPERFECTO

olía
olías
olía
olíamos
olíais
olían

PRETÉRITO INDEFINIDO

olí	olimos
oliste	olisteis
olió	olieron

FUTURO

oleré
olerás
olerá
oleremos
oleréis
olerán

CONDICIONAL

olería
olerías
olería
oleríamos
oleríais
olerían

T. COMPUESTOS

PRETÉRITO PERFECTO

he olido
has olido
ha olido
hemos olido
habéis olido
han olido

PRET. PLUSCUAMPERFECTO

había olido
habías olido
había olido
habíamos olido
habíais olido
habían olido

FUTURO PERFECTO

habré olido
habrás olido
habrá olido
habremos olido
habréis olido
habrán olido

CONDICIONAL PERFECTO

habría olido
habrías olido
habría olido
habríamos olido
habríais olido
habrían olido

SUBJUNTIVO

TIEMPOS SIMPLES

PRESENTE

huela
huelas
huela
olamos
oláis
huelan

PRET. IMPERFECTO

oliera u oliese
olieras u olieses
oliera u oliese
oliéramos u oliésemos
olierais u olieseis
olieran u oliesen

TIEMPOS COMPUESTOS

PRET. PERFECTO

haya olido
hayas olido
haya olido
hayamos olido
hayáis olido
hayan olido

PRET. PLUSCUAMPERFECTO

hubiera o hubiese olido
hubieras o hubieses olido
hubiera o hubiese olido
hubiéramos o hubiésemos olido
hubierais o hubieseis olido
hubieran o hubiesen olido

IMPERATIVO

huele tú/ no huelas
oled vosotros/ no oláis
olamos nosotros/ no olamos
huela usted/ no huela
huelan ustedes/ no huelan

TÉRMINOS Y EXPRESIONES

Oler a + sustantivo
El olfato
El olor
Oloroso/ -a
Maloliente
Huele que alimenta – *referido a comida: huele muy bien*

Huele que apesta – *huele muy mal*
Olerse (algo) – *sospechar*

OLVIDAR

GERUNDIO: olvidando
G. COMPUESTO: habiendo olvidado
PARTICIPIO: olvidado
INF. COMPUESTO: haber olvidado

INDICATIVO

T. SIMPLES

PRESENTE

olvido
olvidas
olvida
olvidamos
olvidáis
olvidan

PRETÉRITO IMPERFECTO

olvidaba
olvidabas
olvidaba
olvidábamos
olvidabais
olvidaban

PRETÉRITO INDEFINIDO

olvidé	olvidamos
olvidaste	olvidasteis
olvidó	olvidaron

FUTURO

olvidaré
olvidarás
olvidará
olvidaremos
olvidaréis
olvidarán

CONDICIONAL

olvidaría
olvidarías
olvidaría
olvidaríamos
olvidaríais
olvidarían

T. COMPUESTOS

PRETÉRITO PERFECTO

he olvidado
has olvidado
ha olvidado
hemos olvidado
habéis olvidado
han olvidado

PRET. PLUSCUAMPERFECTO

había olvidado
habías olvidado
había olvidado
habíamos olvidado
habíais olvidado
habían olvidado

FUTURO PERFECTO

habré olvidado
habrás olvidado
habrá olvidado
habremos olvidado
habréis olvidado
habrán olvidado

CONDICIONAL PERFECTO

habría olvidado
habrías olvidado
habría olvidado
habríamos olvidado
habríais olvidado
habrían olvidado

SUBJUNTIVO

TIEMPOS SIMPLES

PRESENTE

olvide
olvides
olvide
olvidemos
olvidéis
olviden

PRET. IMPERFECTO

olvidara u olvidase
olvidaras u olvidases
olvidara u olvidase
olvidáramos u olvidásemos
olvidarais u olvidaseis
olvidaran u olvidasen

TIEMPOS COMPUESTOS

PRET. PERFECTO

haya olvidado
hayas olvidado
haya olvidado
hayamos olvidado
hayáis olvidado
hayan olvidado

PRET. PLUSCUAMPERFECTO

hubiera o hubiese olvidado
hubieras o hubieses olvidado
hubiera o hubiese olvidado
hubiéramos o hubiésemos olvidado
hubierais o hubieseis olvidado
hubieran o hubiesen olvidado

IMPERATIVO

olvida tú/ no olvides
olvidad vosotros/ no olvidéis
olvidemos nosotros/ no olvidemos
olvide usted/ no olvide
olviden ustedes/ no olviden

 TÉRMINOS Y EXPRESIONES

Olvidarse de
El olvido
Inolvidable
Olvidadizo/ -a

GERUNDIO: pagando
G. COMPUESTO: habiendo pagado

PARTICIPIO: pagado
INF. COMPUESTO: haber pagado

INDICATIVO

T. SIMPLES

PRESENTE

pago
pagas
paga
pagamos
pagáis
pagan

PRETÉRITO IMPERFECTO

pagaba
pagabas
pagaba
pagábamos
pagabais
pagaban

PRETÉRITO INDEFINIDO

pagué	pagamos
pagaste	pagasteis
pagó	pagaron

FUTURO

pagaré
pagarás
pagará
pagaremos
pagaréis
pagarán

CONDICIONAL

pagaría
pagarías
pagaría
pagaríamos
pagaríais
pagarían

T. COMPUESTOS

PRETÉRITO PERFECTO

he pagado
has pagado
ha pagado
hemos pagado
habéis pagado
han pagado

PRET. PLUSCUAMPERFECTO

había pagado
habías pagado
había pagado
habíamos pagado
habíais pagado
habían pagado

FUTURO PERFECTO

habré pagado
habrás pagado
habrá pagado
habremos pagado
habréis pagado
habrán pagado

CONDICIONAL PERFECTO

habría pagado
habrías pagado
habría pagado
habríamos pagado
habríais pagado
habrían pagado

SUBJUNTIVO

TIEMPOS SIMPLES

PRESENTE

pague
pagues
pague
paguemos
paguéis
paguen

PRET. IMPERFECTO

pagara o pagase
pagaras o pagases
pagara o pagase
pagáramos o pagásemos
pagarais o pagaseis
pagaran o pagasen

TIEMPOS COMPUESTOS

PRET. PERFECTO

haya pagado
hayas pagado
haya pagado
hayamos pagado
hayáis pagado
hayan pagado

PRET. PLUSCUAMPERFECTO

hubiera o hubiese pagado
hubieras o hubieses pagado
hubiera o hubiese pagado
hubiéramos o hubiésemos pagado
hubierais o hubieseis pagado
hubieran o hubiesen pagado

IMPERATIVO

paga tú/ no pagues
pagad vosotros/ no paguéis
paguemos nosotros/ no paguemos
pague usted/ no pague
paguen ustedes/ no paguen

 TÉRMINOS Y EXPRESIONES

El impago	Pagar en efectivo – *con dinero en metálico, sin tarjeta*
La paga	Pagar a escote – *pagar cada uno su parte*
El pagaré	Pagar el pato – *cargar con las culpas o consecuencias negativas de algo*
El pago	Pagar a plazos – *pagar periódicamente una cantidad*
Pagable/ impagable	Pagar a tocateja/ al contado – *pagar todo en el momento*

GERUNDIO: pareciendo **PARTICIPIO:** parecido
G. COMPUESTO: habiéndose parecido **INF. COMPUESTO:** haberse parecido

INDICATIVO

T. SIMPLES

PRESENTE

me parezco
te pareces
se parece
nos parecemos
os parecéis
se parecen

PRETÉRITO IMPERFECTO

me parecía
te parecías
se parecía
nos parecíamos
os parecíais
se parecían

PRETÉRITO INDEFINIDO

me parecí   nos parecimos
te pareciste   os parecisteis
se pareció   se parecieron

FUTURO

me pareceré
te parecerás
se parecerá
nos pareceremos
os pareceréis
se parecerán

CONDICIONAL

me parecería
te parecerías
se parecería
nos pareceríamos
os pareceríais
se parecerían

T. COMPUESTOS

PRETÉRITO PERFECTO

me he parecido
te has parecido
se ha parecido
nos hemos parecido
os habéis parecido
se han parecido

PRET. PLUSCUAMPERFECTO

me había parecido
te habías parecido
se había parecido
nos habíamos parecido
os habíais parecido
se habían parecido

FUTURO PERFECTO

me habré parecido
te habrás parecido
se habrá parecido
nos habremos parecido
os habréis parecido
se habrán parecido

CONDICIONAL PERFECTO

me habría parecido
te habrías parecido
se habría parecido
nos habríamos parecido
os habríais parecido
se habrían parecido

SUBJUNTIVO

TIEMPOS SIMPLES

PRESENTE

me parezca
te parezcas
se parezca
nos parezcamos
os parezcáis
se parezcan

PRET. IMPERFECTO

me pareciera o pareciese
te parecieras o parecieses
se pareciera o pareciese
nos pareciéramos o pareciésemos
os parecierais o parecieseis
se parecieran o pareciesen

TIEMPOS COMPUESTOS

PRET. PERFECTO

me haya parecido
te hayas parecido
se haya parecido
nos hayamos parecido
os hayáis parecido
se hayan parecido

PRET. PLUSCUAMPERFECTO

me hubiera o hubiese parecido
te hubieras o hubieses parecido
se hubiera o hubiese parecido
nos hubiéramos o hubiésemos parecido
os hubierais o hubieseis parecido
se hubieran o hubiesen parecido

IMPERATIVO

parécete tú/ no te parezcas
pareceos vosotros/ no os parezcáis
parezcámonos nosotros/ no nos parezcamos
parézcase usted/ no se parezca
parézcanse ustedes/ no se parezcan

TÉRMINOS Y EXPRESIONES

La apariencia   Aparentemente
El parecer   Al parecer/ según parece
El parecido   Parece mentira – es *increíble*

GERUNDIO: pidiendo   **PARTICIPIO:** pedido
G. COMPUESTO: habiendo pedido   **INF. COMPUESTO:** haber pedido

INDICATIVO

T. SIMPLES | T. COMPUESTOS

PRESENTE

pido
pides
pide
pedimos
pedís
piden

PRETÉRITO PERFECTO

he pedido
has pedido
ha pedido
hemos pedido
habéis pedido
han pedido

PRETÉRITO IMPERFECTO

pedía
pedías
pedía
pedíamos
pedíais
pedían

PRET. PLUSCUAMPERFECTO

había pedido
habías pedido
había pedido
habíamos pedido
habíais pedido
habían pedido

PRETÉRITO INDEFINIDO

pedí   pedimos
pediste   pedisteis
pidió   pidieron

FUTURO

pediré
pedirás
pedirá
pediremos
pediréis
pedirán

FUTURO PERFECTO

habré pedido
habrás pedido
habrá pedido
habremos pedido
habréis pedido
habrán pedido

CONDICIONAL

pediría
pedirías
pediría
pediríamos
pediríais
pedirían

CONDICIONAL PERFECTO

habría pedido
habrías pedido
habría pedido
habríamos pedido
habríais pedido
habrían pedido

SUBJUNTIVO

TIEMPOS SIMPLES

PRESENTE

pida
pidas
pida
pidamos
pidáis
pidan

PRET. IMPERFECTO

pidiera o pidiese
pidieras o pidieses
pidiera o pidiese
pidiéramos o pidiésemos
pidierais o pidieseis
pidieran o pidiesen

TIEMPOS COMPUESTOS

PRET. PERFECTO

haya pedido
hayas pedido
haya pedido
hayamos pedido
hayáis pedido
hayan pedido

PRET. PLUSCUAMPERFECTO

hubiera o hubiese pedido
hubieras o hubieses pedido
hubiera o hubiese pedido
hubiéramos o hubiésemos pedido
hubierais o hubieseis pedido
hubieran o hubiesen pedido

IMPERATIVO

pide tú/ no pidas
pedid vosotros/ no pidáis
pidamos nosotros/ no pidamos
pida usted/ no pida
pidan ustedes/ no pidan

 TÉRMINOS Y EXPRESIONES

El pedido
La petición
Pedigüeño/ -a
Pedir peras al olmo – *pedir cosas imposibles*

91 PENSAR

GERUNDIO: pensando
G. COMPUESTO: habiendo pensado

PARTICIPIO: pensado
INF. COMPUESTO: haber pensado

INDICATIVO

T. SIMPLES

PRESENTE

pienso
piensas
piensa
pensamos
pensáis
piensan

PRETÉRITO IMPERFECTO

pensaba
pensabas
pensaba
pensábamos
pensabais
pensaban

PRETÉRITO INDEFINIDO

pensé	pensamos
pensaste	pensasteis
pensó	pensaron

FUTURO

pensaré
pensarás
pensará
pensaremos
pensaréis
pensarán

CONDICIONAL

pensaría
pensarías
pensaría
pensaríamos
pensaríais
pensarían

T. COMPUESTOS

PRETÉRITO PERFECTO

he pensado
has pensado
ha pensado
hemos pensado
habéis pensado
han pensado

PRET. PLUSCUAMPERFECTO

había pensado
habías pensado
había pensado
habíamos pensado
habíais pensado
habían pensado

FUTURO PERFECTO

habré pensado
habrás pensado
habrá pensado
habremos pensado
habréis pensado
habrán pensado

CONDICIONAL PERFECTO

habría pensado
habrías pensado
habría pensado
habríamos pensado
habríais pensado
habrían pensado

SUBJUNTIVO

TIEMPOS SIMPLES

PRESENTE

piense
pienses
piense
pensemos
penséis
piensen

PRET. IMPERFECTO

pensara o pensase
pensaras o pensases
pensara o pensase
pensáramos o pensásemos
pensarais o pensaseis
pensaran o pensasen

TIEMPOS COMPUESTOS

PRET. PERFECTO

haya pensado
hayas pensado
haya pensado
hayamos pensado
hayáis pensado
hayan pensado

PRET. PLUSCUAMPERFECTO

hubiera o hubiese pensado
hubieras o hubieses pensado
hubiera o hubiese pensado
hubiéramos o hubiésemos pensado
hubierais o hubieseis pensado
hubieran o hubiesen pensado

IMPERATIVO

piensa tú/ no pienses
pensad vosotros/ no penséis
pensemos nosotros/ no pensemos
piense usted/ no piense
piensen ustedes/ no piensen

 TÉRMINOS Y EXPRESIONES

Pensar en
El pensador/ la pensadora
El pensamiento
Impensable
Pensativo/ -a

Pensar en las musarañas – *estar distraído*
Pensárselo dos veces – *pensar algo muy bien*

GERUNDIO: perdiendo
G. COMPUESTO: habiendo perdido

PARTICIPIO: perdido
INF. COMPUESTO: haber perdido

PERDER 92

INDICATIVO

T. SIMPLES

PRESENTE

pierdo
pierdes
pierde
perdemos
perdéis
pierden

PRETÉRITO IMPERFECTO

perdía
perdías
perdía
perdíamos
perdíais
perdían

PRETÉRITO INDEFINIDO

perdí	perdimos
perdiste	perdisteis
perdió	perdieron

FUTURO

perderé
perderás
perderá
perderemos
perderéis
perderán

CONDICIONAL

perdería
perderías
perdería
perderíamos
perderíais
perderían

T. COMPUESTOS

PRETÉRITO PERFECTO

he perdido
has perdido
ha perdido
hemos perdido
habéis perdido
han perdido

PRET. PLUSCUAMPERFECTO

había perdido
habías perdido
había perdido
habíamos perdido
habíais perdido
habían perdido

FUTURO PERFECTO

habré perdido
habrás perdido
habrá perdido
habremos perdido
habréis perdido
habrán perdido

CONDICIONAL PERFECTO

habría perdido
habrías perdido
habría perdido
habríamos perdido
habríais perdido
habrían perdido

SUBJUNTIVO

TIEMPOS SIMPLES

PRESENTE

pierda
pierdas
pierda
perdamos
perdáis
pierdan

PRET. IMPERFECTO

perdiera o perdiese
perdieras o perdieses
perdiera o perdiese
perdiéramos o perdiésemos
perdierais o perdieseis
perdieran o perdiesen

TIEMPOS COMPUESTOS

PRET. PERFECTO

haya perdido
hayas perdido
haya perdido
hayamos perdido
hayáis perdido
hayan perdido

PRET. PLUSCUAMPERFECTO

hubiera o hubiese perdido
hubieras o hubieses perdido
hubiera o hubiese perdido
hubiéramos o hubiésemos perdido
hubierais o hubieseis perdido
hubieran o hubiesen perdido

IMPERATIVO

pierde tú/ no pierdas
perded vosotros/ no perdáis
perdamos nosotros/ no perdamos
pierda usted/ no pierda
pierdan ustedes/ no pierdan

 TÉRMINOS Y EXPRESIONES

Perderse
La perdición
La pérdida
Perdedor/ -a
Perdidamente

Perder la vida – *morir*
Perder los estribos – *perder el control*
Perder la cabeza – *volverse loco*

93 PODER

GERUNDIO: pudiendo
G. COMPUESTO: habiendo podido
PARTICIPIO: podido
INF. COMPUESTO: haber podido

INDICATIVO

T. SIMPLES

PRESENTE

puedo
puedes
puede
podemos
podéis
pueden

PRETÉRITO IMPERFECTO

podía
podías
podía
podíamos
podíais
podían

PRETÉRITO INDEFINIDO

pude	pudimos
pudiste	pudisteis
pudo	pudieron

FUTURO

podré
podrás
podrá
podremos
podréis
podrán

CONDICIONAL

podría
podrías
podría
podríamos
podríais
podrían

T. COMPUESTOS

PRETÉRITO PERFECTO

he podido
has podido
ha podido
hemos podido
habéis podido
han podido

PRET. PLUSCUAMPERFECTO

había podido
habías podido
había podido
habíamos podido
habíais podido
habían podido

FUTURO PERFECTO

habré podido
habrás podido
habrá podido
habremos podido
habréis podido
habrán podido

CONDICIONAL PERFECTO

habría podido
habrías podido
habría podido
habríamos podido
habríais podido
habrían podido

SUBJUNTIVO

TIEMPOS SIMPLES

PRESENTE

pueda
puedas
pueda
podamos
podáis
puedan

PRET. IMPERFECTO

pudiera o pudiese
pudieras o pudieses
pudiera o pudiese
pudiéramos o pudiésemos
pudierais o pudieseis
pudieran o pudiesen

TIEMPOS COMPUESTOS

PRET. PERFECTO

haya podido
hayas podido
haya podido
hayamos podido
hayáis podido
hayan podido

PRET. PLUSCUAMPERFECTO

hubiera o hubiese podido
hubieras o hubieses podido
hubiera o hubiese podido
hubiéramos o hubiésemos podido
hubierais o hubieseis podido
hubieran o hubiesen podido

IMPERATIVO

puede tú/ no puedas
poded vosotros/ no podáis
podamos nosotros/ no podamos
pueda usted/ no pueda
puedan ustedes/ no puedan

TÉRMINOS Y EXPRESIONES

El poder
El poderío
La potencia/ la impotencia
El apoderado/ la apoderada
Poderoso/ -a

Potente/ impotente
Poderosamente

GERUNDIO: poniendo
G. COMPUESTO: habiendo puesto

PARTICIPIO: puesto
INF. COMPUESTO: haber puesto

PONER 94

INDICATIVO

T. SIMPLES

PRESENTE

pongo
pones
pone
ponemos
ponéis
ponen

PRETÉRITO IMPERFECTO

ponía
ponías
ponía
poníamos
poníais
ponían

PRETÉRITO INDEFINIDO

puse · pusimos
pusiste · pusisteis
puso · pusieron

FUTURO

pondré
pondrás
pondrá
pondremos
pondréis
pondrán

CONDICIONAL

pondría
pondrías
pondría
pondríamos
pondríais
pondrían

T. COMPUESTOS

PRETÉRITO PERFECTO

he puesto
has puesto
ha puesto
hemos puesto
habéis puesto
han puesto

PRET. PLUSCUAMPERFECTO

había puesto
habías puesto
había puesto
habíamos puesto
habíais puesto
habían puesto

FUTURO PERFECTO

habré puesto
habrás puesto
habrá puesto
habremos puesto
habréis puesto
habrán puesto

CONDICIONAL PERFECTO

habría puesto
habrías puesto
habría puesto
habríamos puesto
habríais puesto
habrían puesto

SUBJUNTIVO

TIEMPOS SIMPLES

PRESENTE

ponga
pongas
ponga
pongamos
pongáis
pongan

PRET. IMPERFECTO

pusiera o pusiese
pusieras o pusieses
pusiera o pusiese
pusiéramos o pusiésemos
pusierais o pusieseis
pusieran o pusiesen

TIEMPOS COMPUESTOS

PRET. PERFECTO

haya puesto
hayas puesto
haya puesto
hayamos puesto
hayáis puesto
hayan puesto

PRET. PLUSCUAMPERFECTO

hubiera o hubiese puesto
hubieras o hubieses puesto
hubiera o hubiese puesto
hubiéramos o hubiésemos puesto
hubierais o hubieseis puesto
hubieran o hubiesen puesto

IMPERATIVO

pon tú/ no pongas
poned vosotros/ no pongáis
pongamos nosotros/ no pongamos
ponga usted/ no ponga
pongan ustedes/ no pongan

TÉRMINOS Y EXPRESIONES

Ponerse
Ponerse a
La puesta de sol
Estar muy puesto – *ser muy entendido en algo*
Poner (algo) en tela de juicio – *dudar de algo*

Poner verde a alguien – *criticar duramente*
Poner patas arriba – *desorganizar*
Ponerle los cuernos a alguien – *ser infiel*
Ponerse de acuerdo – *acordar, llegar a un acuerdo*
Ponerse las pilas – *tomar fuerzas para hacer algo*

PREFERIR

GERUNDIO: prefiriendo
G. COMPUESTO: habiendo preferido
PARTICIPIO: preferido
INF. COMPUESTO: haber preferido

INDICATIVO

T. SIMPLES	T. COMPUESTOS
PRESENTE	**PRETÉRITO PERFECTO**
prefiero	he preferido
prefieres	has preferido
prefiere	ha preferido
preferimos	hemos preferido
preferís	habéis preferido
prefieren	han preferido
PRETÉRITO IMPERFECTO	**PRET. PLUSCUAMPERFECTO**
prefería	había preferido
preferías	habías preferido
prefería	había preferido
preferíamos	habíamos preferido
preferíais	habíais preferido
preferían	habían preferido

PRETÉRITO INDEFINIDO

preferí	preferimos
preferiste	preferisteis
prefirió	prefirieron

FUTURO	FUTURO PERFECTO
preferiré	habré preferido
preferirás	habrás preferido
preferirá	habrá preferido
preferiremos	habremos preferido
preferiréis	habréis preferido
preferirán	habrán preferido

CONDICIONAL	CONDICIONAL PERFECTO
preferiría	habría preferido
preferirías	habrías preferido
preferiría	habría preferido
preferiríamos	habríamos preferido
preferiríais	habríais preferido
preferirían	habrían preferido

SUBJUNTIVO

TIEMPOS SIMPLES

PRESENTE

prefiera
prefieras
prefiera
prefiramos
prefiráis
prefieran

PRET. IMPERFECTO

prefiriera o prefiriese
prefirieras o prefirieses
prefiriera o prefiriese
prefiriéramos o prefiriésemos
prefirierais o prefirieseis
prefirieran o prefiriesen

TIEMPOS COMPUESTOS

PRET. PERFECTO

haya preferido
hayas preferido
haya preferido
hayamos preferido
hayáis preferido
hayan preferido

PRET. PLUSCUAMPERFECTO

hubiera o hubiese preferido
hubieras o hubieses preferido
hubiera o hubiese preferido
hubiéramos o hubiésemos preferido
hubierais o hubieseis preferido
hubieran o hubiesen preferido

IMPERATIVO

prefiere tú/ no prefieras
preferid vosotros/ no prefiráis
prefiramos nosotros/ no prefiramos
prefiera usted/ no prefiera
prefieran ustedes/ no prefieran

TÉRMINOS Y EXPRESIONES

La preferencia
Preferible
Preferentemente
Preferiblemente

INDICATIVO

T. SIMPLES

PRESENTE

pregunto
preguntas
pregunta
preguntamos
preguntáis
preguntan

PRETÉRITO IMPERFECTO

preguntaba
preguntabas
preguntaba
preguntábamos
preguntabais
preguntaban

PRETÉRITO INDEFINIDO

pregunté	preguntamos
preguntaste	preguntasteis
preguntó	preguntaron

FUTURO

preguntaré
preguntarás
preguntará
preguntaremos
preguntaréis
preguntarán

CONDICIONAL

preguntaría
preguntarías
preguntaría
preguntaríamos
preguntaríais
preguntarían

T. COMPUESTOS

PRETÉRITO PERFECTO

he preguntado
has preguntado
ha preguntado
hemos preguntado
habéis preguntado
han preguntado

PRET. PLUSCUAMPERFECTO

había preguntado
habías preguntado
había preguntado
habíamos preguntado
habíais preguntado
habían preguntado

FUTURO PERFECTO

habré preguntado
habrás preguntado
habrá preguntado
habremos preguntado
habréis preguntado
habrán preguntado

CONDICIONAL PERFECTO

habría preguntado
habrías preguntado
habría preguntado
habríamos preguntado
habríais preguntado
habrían preguntado

SUBJUNTIVO

TIEMPOS SIMPLES

PRESENTE

pregunte
preguntes
pregunte
preguntemos
preguntéis
pregunten

PRET. IMPERFECTO

preguntara o preguntase
preguntaras o preguntases
preguntara o preguntase
preguntáramos o preguntásemos
preguntarais o preguntaseis
preguntaran o preguntasen

TIEMPOS COMPUESTOS

PRET. PERFECTO

haya preguntado
hayas preguntado
haya preguntado
hayamos preguntado
hayáis preguntado
hayan preguntado

PRET. PLUSCUAMPERFECTO

hubiera o hubiese preguntado
hubieras o hubieses preguntado
hubiera o hubiese preguntado
hubiéramos o hubiésemos preguntado
hubierais o hubieseis preguntado
hubieran o hubiesen preguntado

IMPERATIVO

pregunta tú/ no preguntes
preguntad vosotros/ no preguntéis
preguntemos nosotros/ no preguntemos
pregunte usted/ no pregunte
pregunten ustedes/ no pregunten

TÉRMINOS Y EXPRESIONES

Preguntarse por
La pregunta
Preguntón/ preguntona

PREOCUPARSE

GERUNDIO: preocupándose **PARTICIPIO:** preocupado
G. COMPUESTO: habiéndose preocupado **INF. COMPUESTO:** haberse preocupado

INDICATIVO

T. SIMPLES

PRESENTE

me preocupo
te preocupas
se preocupa
nos preocupamos
os preocupáis
se preocupan

PRETÉRITO IMPERFECTO

me preocupaba
te preocupabas
se preocupaba
nos preocupábamos
os preocupabais
se preocupaban

PRETÉRITO INDEFINIDO

me preocupé	nos preocupamos
te preocupaste	os preocupasteis
se preocupó	se preocuparon

FUTURO

me preocuparé
te preocuparás
se preocupará
nos preocuparemos
os preocuparéis
se preocuparán

CONDICIONAL

me preocuparía
te preocuparías
se preocuparía
nos preocuparíamos
os preocuparíais
se preocuparían

T. COMPUESTOS

PRETÉRITO PERFECTO

me he preocupado
te has preocupado
se ha preocupado
nos hemos preocupado
os habéis preocupado
se han preocupado

PRET. PLUSCUAMPERFECTO

me había preocupado
te habías preocupado
se había preocupado
nos habíamos preocupado
os habíais preocupado
se habían preocupado

FUTURO PERFECTO

me habré preocupado
te habrás preocupado
se habrá preocupado
nos habremos preocupado
os habréis preocupado
se habrán preocupado

CONDICIONAL PERFECTO

me habría preocupado
te habrías preocupado
se habría preocupado
nos habríamos preocupado
os habríais preocupado
se habrían preocupado

SUBJUNTIVO

TIEMPOS SIMPLES

PRESENTE

me preocupe
te preocupes
se preocupe
nos preocupemos
os preocupéis
se preocupen

PRET. IMPERFECTO

me preocupara o preocupase
te preocuparas o preocupases
se preocupara o preocupase
nos preocupáramos o preocupásemos
os preocuparais o preocupaseis
se preocuparan o preocupasen

TIEMPOS COMPUESTOS

PRET. PERFECTO

me haya preocupado
te hayas preocupado
se haya preocupado
nos hayamos preocupado
os hayáis preocupado
se hayan preocupado

PRET. PLUSCUAMPERFECTO

me hubiera o hubiese preocupado
te hubieras o hubieses preocupado
se hubiera o hubiese preocupado
nos hubiéramos o hubiésemos preocupado
os hubierais o hubieseis preocupado
se hubieran o hubiesen preocupado

IMPERATIVO

preocúpate tú/ no te preocupes
preocupaos vosotros/ no os preocupéis
preocupémonos nosotros/ no nos preocupemos
preocúpese usted/ no se preocupe
preocúpense ustedes/ no se preocupen

 TÉRMINOS Y EXPRESIONES

Preocupar	Preocupado/ -a
Preocuparse por/ de	Preocupante
La preocupación	

INDICATIVO

T. SIMPLES | T. COMPUESTOS

PRESENTE	PRETÉRITO PERFECTO
pruebo	he probado
pruebas	has probado
prueba	ha probado
probamos	hemos probado
probáis	habéis probado
prueban	han probado

PRETÉRITO IMPERFECTO	PRET. PLUSCUAMPERFECTO
probaba	había probado
probabas	habías probado
probaba	había probado
probábamos	habíamos probado
probabais	habíais probado
probaban	habían probado

PRETÉRITO INDEFINIDO

probé	probamos
probaste	probasteis
probó	probaron

FUTURO	FUTURO PERFECTO
probaré	habré probado
probarás	habrás probado
probará	habrá probado
probaremos	habremos probado
probaréis	habréis probado
probarán	habrán probado

CONDICIONAL	CONDICIONAL PERFECTO
probaría	habría probado
probarías	habrías probado
probaría	habría probado
probaríamos	habríamos probado
probaríais	habríais probado
probarían	habrían probado

SUBJUNTIVO

TIEMPOS SIMPLES

PRESENTE	PRET. IMPERFECTO
pruebe	probara o probase
pruebes	probaras o probases
pruebe	probara o probase
probemos	probáramos o probásemos
probéis	probarais o probaseis
prueben	probaran o probasen

TIEMPOS COMPUESTOS

PRET. PERFECTO	PRET. PLUSCUAMPERFECTO
haya probado	hubiera o hubiese probado
hayas probado	hubieras o hubieses probado
haya probado	hubiera o hubiese probado
hayamos probado	hubiéramos o hubiésemos probado
hayáis probado	hubierais o hubieseis probado
hayan probado	hubieran o hubiesen probado

IMPERATIVO

prueba tú/ no pruebes
probad vosotros/ no probéis
probemos nosotros/ no probemos
pruebe usted/ no pruebe
prueben ustedes/ no prueben

TÉRMINOS Y EXPRESIONES

Probarse
La probabilidad
El probador
La prueba
Probable/ improbable
Probablemente

GERUNDIO: quedándose   **PARTICIPIO:** quedado
G. COMPUESTO: habiéndose quedado   **INF. COMPUESTO:** haberse quedado

INDICATIVO

T. SIMPLES

PRESENTE

me quedo
te quedas
se queda
nos quedamos
os quedáis
se quedan

PRETÉRITO IMPERFECTO

me quedaba
te quedabas
se quedaba
nos quedábamos
os quedabais
se quedaban

PRETÉRITO INDEFINIDO

me quedé	nos quedamos
te quedaste	os quedasteis
se quedó	se quedaron

FUTURO

me quedaré
te quedarás
se quedará
nos quedaremos
os quedaréis
se quedarán

CONDICIONAL

me quedaría
te quedarías
se quedaría
nos quedaríamos
os quedaríais
se quedarían

T. COMPUESTOS

PRETÉRITO PERFECTO

me he quedado
te has quedado
se ha quedado
nos hemos quedado
os habéis quedado
se han quedado

PRET. PLUSCUAMPERFECTO

me había quedado
te habías quedado
se había quedado
nos habíamos quedado
os habíais quedado
se habían quedado

FUTURO PERFECTO

me habré quedado
te habrás quedado
se habrá quedado
nos habremos quedado
os habréis quedado
se habrán quedado

CONDICIONAL PERFECTO

me habría quedado
te habrías quedado
se habría quedado
nos habríamos quedado
os habríais quedado
se habrían quedado

SUBJUNTIVO

TIEMPOS SIMPLES

PRESENTE

me quede
te quedes
se quede
nos quedemos
os quedéis
se queden

PRET. IMPERFECTO

me quedara o quedase
te quedaras o quedases
se quedara o quedase
nos quedáramos o quedásemos
os quedarais o quedaseis
se quedaran o quedasen

TIEMPOS COMPUESTOS

PRET. PERFECTO

me haya quedado
te hayas quedado
se haya quedado
nos hayamos quedado
os hayáis quedado
se hayan quedado

PRET. PLUSCUAMPERFECTO

me hubiera o hubiese quedado
te hubieras o hubieses quedado
se hubiera o hubiese quedado
nos hubiéramos o hubiésemos quedado
os hubierais o hubieseis quedado
se hubieran o hubiesen quedado

IMPERATIVO

quédate tú/ no te quedes
quedaos vosotros/ no os quedéis
quedémonos nosotros/ no nos quedemos
quédese usted/ no se quede
quédense ustedes/ no se queden

 TÉRMINOS Y EXPRESIONES

Quedar con (alguien) – *tener una cita*
Quedar en (algo) – *acordar*
Quedar bien/ mal – *salir bien o mal de una situación/ sentar bien o mal la ropa*

Quedarse con algo – *memorizar algo*
Quedarse en blanco – *no recordar algo*
Quedarse corto – *usar menos cantidad de la debida*
Quedarse de piedra – *muy sorprendido*

GERUNDIO: queriendo **PARTICIPIO:** querido

G. COMPUESTO: habiendo querido **INF. COMPUESTO:** haber querido

QUERER 100

INDICATIVO

T. SIMPLES

PRESENTE

quiero
quieres
quiere
queremos
queréis
quieren

PRETÉRITO IMPERFECTO

quería
querías
quería
queríamos
queríais
querían

PRETÉRITO INDEFINIDO

quise	quisimos
quisiste	quisisteis
quiso	quisieron

FUTURO

querré
querrás
querrá
querremos
querréis
querrán

CONDICIONAL

querría
querrías
querría
querríamos
querríais
querrían

T. COMPUESTOS

PRETÉRITO PERFECTO

he querido
has querido
ha querido
hemos querido
habéis querido
han querido

PRET. PLUSCUAMPERFECTO

había querido
habías querido
había querido
habíamos querido
habíais querido
habían querido

FUTURO PERFECTO

habré querido
habrás querido
habrá querido
habremos querido
habréis querido
habrán querido

CONDICIONAL PERFECTO

habría querido
habrías querido
habría querido
habríamos querido
habríais querido
habrían querido

SUBJUNTIVO

TIEMPOS SIMPLES

PRESENTE

quiera
quieras
quiera
queramos
queráis
quieran

PRET. IMPERFECTO

quisiera o quisiese
quisieras o quisieses
quisiera o quisiese
quisiéramos o quisiésemos
quisierais o quisieseis
quisieran o quisiesen

TIEMPOS COMPUESTOS

PRET. PERFECTO

haya querido
hayas querido
haya querido
hayamos querido
hayáis querido
hayan querido

PRET. PLUSCUAMPERFECTO

hubiera o hubiese querido
hubieras o hubieses querido
hubiera o hubiese querido
hubiéramos o hubiésemos querido
hubierais o hubieseis querido
hubieran o hubiesen querido

IMPERATIVO

quiere tú/ no quieras
quered vosotros/ no queráis
queramos nosotros/ no queramos
quiera usted/ no quiera
quieran ustedes/ no quieran

TÉRMINOS Y EXPRESIONES

La querencia
Querido/ -a

101 RECORDAR

GERUNDIO: recordando
G. COMPUESTO: habiendo recordado
PARTICIPIO: recordado
INF. COMPUESTO: haber recordado

INDICATIVO

T. SIMPLES

PRESENTE

recuerdo
recuerdas
recuerda
recordamos
recordáis
recuerdan

PRETÉRITO IMPERFECTO

recordaba
recordabas
recordaba
recordábamos
recordabais
recordaban

PRETÉRITO INDEFINIDO

recordé	recordamos
recordaste	recordasteis
recordó	recordaron

FUTURO

recordaré
recordarás
recordará
recordaremos
recordaréis
recordarán

CONDICIONAL

recordaría
recordarías
recordaría
recordaríamos
recordaríais
recordarían

T. COMPUESTOS

PRETÉRITO PERFECTO

he recordado
has recordado
ha recordado
hemos recordado
habéis recordado
han recordado

PRET. PLUSCUAMPERFECTO

había recordado
habías recordado
había recordado
habíamos recordado
habíais recordado
habían recordado

FUTURO PERFECTO

habré recordado
habrás recordado
habrá recordado
habremos recordado
habréis recordado
habrán recordado

CONDICIONAL PERFECTO

habría recordado
habrías recordado
habría recordado
habríamos recordado
habríais recordado
habrían recordado

SUBJUNTIVO

TIEMPOS SIMPLES

PRESENTE

recuerde
recuerdes
recuerde
recordemos
recordéis
recuerden

PRET. IMPERFECTO

recordara o recordase
recordaras o recordases
recordara o recordase
recordáramos o recordásemos
recordarais o recordaseis
recordaran o recordasen

TIEMPOS COMPUESTOS

PRET. PERFECTO

haya recordado
hayas recordado
haya recordado
hayamos recordado
hayáis recordado
hayan recordado

PRET. PLUSCUAMPERFECTO

hubiera o hubiese recordado
hubieras o hubieses recordado
hubiera o hubiese recordado
hubiéramos o hubiésemos recordado
hubierais o hubieseis recordado
hubieran o hubiesen recordado

IMPERATIVO

recuerda tú/ no recuerdes
recordad vosotros/ no recordéis
recordemos nosotros/ no recordemos
recuerde usted/ no recuerde
recuerden ustedes/ no recuerden

 TÉRMINOS Y EXPRESIONES

El recordatorio
El recuerdo

GERUNDIO: riendo   PARTICIPIO: reído
G. COMPUESTO: habiendo reído   INF. COMPUESTO: haber reído

INDICATIVO

T. SIMPLES

PRESENTE	
río	
ríes	
ríe	
reímos	
reís	
ríen	

T. COMPUESTOS

PRETÉRITO PERFECTO	
he reído	
has reído	
ha reído	
hemos reído	
habéis reído	
han reído	

PRETÉRITO IMPERFECTO	
reía	
reías	
reía	
reíamos	
reíais	
reían	

PRET. PLUSCUAMPERFECTO	
había reído	
habías reído	
había reído	
habíamos reído	
habíais reído	
habían reído	

PRETÉRITO INDEFINIDO

reí	reímos
reíste	reísteis
rió	rieron

FUTURO

reiré	
reirás	
reirá	
reiremos	
reiréis	
reirán	

FUTURO PERFECTO

habré reído	
habrás reído	
habrá reído	
habremos reído	
habréis reído	
habrán reído	

CONDICIONAL

reiría	
reirías	
reiría	
reiríamos	
reiríais	
reirían	

CONDICIONAL PERFECTO

habría reído	
habrías reído	
habría reído	
habríamos reído	
habríais reído	
habrían reído	

SUBJUNTIVO

TIEMPOS SIMPLES

PRESENTE	PRET. IMPERFECTO
ría	riera o riese
rías	rieras o rieses
ría	riera o riese
riamos	riéramos o riésemos
riáis	rierais o rieseis
rían	rieran o riesen

TIEMPOS COMPUESTOS

PRET. PERFECTO	PRET. PLUSCUAMPERFECTO
haya reído	hubiera o hubiese reído
hayas reído	hubieras o hubieses reído
haya reído	hubiera o hubiese reído
hayamos reído	hubiéramos o hubiésemos reído
hayáis reído	hubierais o hubieseis reído
hayan reído	hubieran o hubiesen reído

IMPERATIVO

ríe tú/ no rías
reíd vosotros/ no riáis
riamos nosotros/ no riamos
ría usted/ no ría
rían ustedes/ no rían

 TÉRMINOS Y EXPRESIONES

Reírse de
La risa
La risotada
Irrisorio/ -a
Risueño/ -a

Reírse a carcajadas – *con risa fuerte*
Partirse de risa – *reírse mucho*

103 REPASAR

GERUNDIO: repasando
G. COMPUESTO: habiendo repasado

PARTICIPIO: repasado
INF. COMPUESTO: haber repasado

INDICATIVO

T. SIMPLES

PRESENTE

repaso
repasas
repasa
repasamos
repasáis
repasan

PRETÉRITO IMPERFECTO

repasaba
repasabas
repasaba
repasábamos
repasabais
repasaban

PRETÉRITO INDEFINIDO

repasé	repasamos
repasaste	repasasteis
repasó	repasaron

FUTURO

repasaré
repasarás
repasará
repasaremos
repasaréis
repasarán

CONDICIONAL

repasaría
repasarías
repasaría
repasaríamos
repasaríais
repasarían

T. COMPUESTOS

PRETÉRITO PERFECTO

he repasado
has repasado
ha repasado
hemos repasado
habéis repasado
han repasado

PRET. PLUSCUAMPERFECTO

había repasado
habías repasado
había repasado
habíamos repasado
habíais repasado
habían repasado

FUTURO PERFECTO

habré repasado
habrás repasado
habrá repasado
habremos repasado
habréis repasado
habrán repasado

CONDICIONAL PERFECTO

habría repasado
habrías repasado
habría repasado
habríamos repasado
habríais repasado
habrían repasado

SUBJUNTIVO

TIEMPOS SIMPLES

PRESENTE

repase
repases
repase
repasemos
repaséis
repasen

PRET. IMPERFECTO

repasara o repasase
repasaras o repasases
repasara o repasase
repasáramos o repasásemos
repasarais o repasaseis
repasaran o repasasen

TIEMPOS COMPUESTOS

PRET. PERFECTO

haya repasado
hayas repasado
haya repasado
hayamos repasado
hayáis repasado
hayan repasado

PRET. PLUSCUAMPERFECTO

hubiera o hubiese repasado
hubieras o hubieses repasado
hubiera o hubiese repasado
hubiéramos o hubiésemos repasado
hubierais o hubieseis repasado
hubieran o hubiesen repasado

IMPERATIVO

repasa tú/ no repases
repasad vosotros/ no repaséis
repasemos nosotros/ no repasemos
repase usted/ no repase
repasen ustedes/ no repasen

TÉRMINOS Y EXPRESIONES

El repaso

GERUNDIO: repitiendo
G. COMPUESTO: habiendo repetido

PARTICIPIO: repetido
INF. COMPUESTO: haber repetido

INDICATIVO

T. SIMPLES

PRESENTE

repito
repites
repite
repetimos
repetís
repiten

PRETÉRITO IMPERFECTO

repetía
repetías
repetía
repetíamos
repetíais
repetían

PRETÉRITO INDEFINIDO

repetí   repetimos
repetiste   repetisteis
repitió   repitieron

FUTURO

repetiré
repetirás
repetirá
repetiremos
repetiréis
repetirán

CONDICIONAL

repetiría
repetirías
repetiría
repetiríamos
repetiríais
repetirían

T. COMPUESTOS

PRETÉRITO PERFECTO

he repetido
has repetido
ha repetido
hemos repetido
habéis repetido
han repetido

PRET. PLUSCUAMPERFECTO

había repetido
habías repetido
había repetido
habíamos repetido
habíais repetido
habían repetido

FUTURO PERFECTO

habré repetido
habrás repetido
habrá repetido
habremos repetido
habréis repetido
habrán repetido

CONDICIONAL PERFECTO

habría repetido
habrías repetido
habría repetido
habríamos repetido
habríais repetido
habrían repetido

SUBJUNTIVO

TIEMPOS SIMPLES

PRESENTE

repita
repitas
repita
repitamos
repitáis
repitan

PRET. IMPERFECTO

repitiera o repitiese
repitieras o repitieses
repitiera o repitiese
repitiéramos o repitiésemos
repiticrais o repitieseis
repitieran o repitiesen

TIEMPOS COMPUESTOS

PRET. PERFECTO

haya repetido
hayas repetido
haya repetido
hayamos repetido
hayáis repetido
hayan repetido

PRET. PLUSCUAMPERFECTO

hubiera o hubiese repetido
hubieras o hubieses repetido
hubiera o hubiese repetido
hubiéramos o hubiésemos repetido
hubierais o hubieseis repetido
hubieran o hubiesen repetido

IMPERATIVO

repite tú/ no repitas
repetid vosotros/ no repitáis
repitamos nosotros/ no repitamos
repita usted/ no repita
repitan ustedes/ no repitan

 TÉRMINOS Y EXPRESIONES

La repetición
El repetidor/ la repetidora
Repetitivo/ -a
Repetidamente

105 ROBAR

GERUNDIO: robando   **PARTICIPIO:** robado
G. COMPUESTO: habiendo robado   **INF. COMPUESTO:** haber robado

INDICATIVO

T. SIMPLES

PRESENTE

robo
robas
roba
robamos
robáis
roban

PRETÉRITO IMPERFECTO

robaba
robabas
robaba
robábamos
robabais
robaban

PRETÉRITO INDEFINIDO

robé   robamos
robaste   robasteis
robó   robaron

FUTURO

robaré
robarás
robará
robaremos
robaréis
robarán

CONDICIONAL

robaría
robarías
robaría
robaríamos
robaríais
robarían

T. COMPUESTOS

PRETÉRITO PERFECTO

he robado
has robado
ha robado
hemos robado
habéis robado
han robado

PRET. PLUSCUAMPERFECTO

había robado
habías robado
había robado
habíamos robado
habíais robado
habían robado

FUTURO PERFECTO

habré robado
habrás robado
habrá robado
habremos robado
habréis robado
habrán robado

CONDICIONAL PERFECTO

habría robado
habrías robado
habría robado
habríamos robado
habríais robado
habrían robado

SUBJUNTIVO

TIEMPOS SIMPLES

PRESENTE

robe
robes
robe
robemos
robéis
roben

PRET. IMPERFECTO

robara o robase
robaras o robases
robara o robase
robáramos o robásemos
robarais o robaseis
robaran o robasen

TIEMPOS COMPUESTOS

PRET. PERFECTO

haya robado
hayas robado
haya robado
hayamos robado
hayáis robado
hayan robado

PRET. PLUSCUAMPERFECTO

hubiera o hubiese robado
hubieras o hubieses robado
hubiera o hubiese robado
hubiéramos o hubiésemos robado
hubierais o hubieseis robado
hubieran o hubiesen robado

IMPERATIVO

roba tú/ no robes
robad vosotros/ no robéis
robemos nosotros/ no robemos
robe usted/ no robe
roben ustedes/ no roben

 TÉRMINOS Y EXPRESIONES

El robo

GERUNDIO: sabiendo   **PARTICIPIO:** sabido

G. COMPUESTO: habiendo sabido   **INF. COMPUESTO:** haber sabido

INDICATIVO

T. SIMPLES | T. COMPUESTOS

PRESENTE	PRETÉRITO PERFECTO
sé	he sabido
sabes	has sabido
sabe	ha sabido
sabemos	hemos sabido
sabéis	habéis sabido
saben	han sabido

PRETÉRITO IMPERFECTO	PRET. PLUSCUAMPERFECTO
sabía	había sabido
sabías	habías sabido
sabía	había sabido
sabíamos	habíamos sabido
sabíais	habíais sabido
sabían	habían sabido

PRETÉRITO INDEFINIDO

supe	supimos
supiste	supisteis
supo	supieron

FUTURO	FUTURO PERFECTO
sabré	habré sabido
sabrás	habrás sabido
sabrá	habrá sabido
sabremos	habremos sabido
sabréis	habréis sabido
sabrán	habrán sabido

CONDICIONAL	CONDICIONAL PERFECTO
sabría	habría sabido
sabrías	habrías sabido
sabría	habría sabido
sabríamos	habríamos sabido
sabríais	habríais sabido
sabrían	habrían sabido

SUBJUNTIVO

TIEMPOS SIMPLES

PRESENTE	PRET. IMPERFECTO
sepa	supiera o supiese
sepas	supieras o supieses
sepa	supiera o supiese
sepamos	supiéramos o supiésemos
sepáis	supierais o supieseis
sepan	supieran o supiesen

TIEMPOS COMPUESTOS

PRET. PERFECTO	PRET. PLUSCUAMPERFECTO
haya sabido	hubiera o hubiese sabido
hayas sabido	hubieras o hubieses sabido
haya sabido	hubiera o hubiese sabido
hayamos sabido	hubiéramos o hubiésemos sabido
hayáis sabido	hubierais o hubieseis sabido
hayan sabido	hubieran o hubiesen sabido

IMPERATIVO

sabe tú/ no sepas
sabed vosotros/ no sepáis
sepamos nosotros/ no sepamos
sepa usted/ no sepa
sepan ustedes/ no sepan

 TÉRMINOS Y EXPRESIONES

El saber
La sabiduría
El sabio/ la sabia
Sabiamente
A sabiendas de – *con total conocimiento de algo*
Saber algo de buena tinta – *poseer una información de fuentes fiables*

GERUNDIO: sacando
G. COMPUESTO: habiendo sacado

PARTICIPIO: sacado
INF. COMPUESTO: haber sacado

INDICATIVO

T. SIMPLES

PRESENTE

saco
sacas
saca
sacamos
sacáis
sacan

PRETÉRITO IMPERFECTO

sacaba
sacabas
sacaba
sacábamos
sacabais
sacaban

PRETÉRITO INDEFINIDO

saqué	sacamos
sacaste	sacasteis
sacó	sacaron

FUTURO

sacaré
sacarás
sacará
sacaremos
sacaréis
sacarán

CONDICIONAL

sacaría
sacarías
sacaría
sacaríamos
sacaríais
sacarían

T. COMPUESTOS

PRETÉRITO PERFECTO

he sacado
has sacado
ha sacado
hemos sacado
habéis sacado
han sacado

PRET. PLUSCUAMPERFECTO

había sacado
habías sacado
había sacado
habíamos sacado
habíais sacado
habían sacado

FUTURO PERFECTO

habré sacado
habrás sacado
habrá sacado
habremos sacado
habréis sacado
habrán sacado

CONDICIONAL PERFECTO

habría sacado
habrías sacado
habría sacado
habríamos sacado
habríais sacado
habrían sacado

SUBJUNTIVO

TIEMPOS SIMPLES

PRESENTE

saque
saques
saque
saquemos
saquéis
saquen

PRET. IMPERFECTO

sacara o sacase
sacaras o sacases
sacara o sacase
sacáramos o sacásemos
sacarais o sacaseis
sacaran o sacasen

TIEMPOS COMPUESTOS

PRET. PERFECTO

haya sacado
hayas sacado
haya sacado
hayamos sacado
hayáis sacado
hayan sacado

PRET. PLUSCUAMPERFECTO

hubiera o hubiese sacado
hubieras o hubieses sacado
hubiera o hubiese sacado
hubiéramos o hubiésemos sacado
hubierais o hubieseis sacado
hubieran o hubiesen sacado

IMPERATIVO

saca tú/ no saques
sacad vosotros/ no saquéis
saquemos nosotros/ no saquemos
saque usted/ no saque
saquen ustedes/ no saquen

 TÉRMINOS Y EXPRESIONES

Sacar (algo) en limpio – *obtener una conclusión clara de algo, conseguir un beneficio*
Sacar de quicio/ de sus casillas – *poner a alguien al límite de su paciencia*
Sacar partido/ sacar tajada – *obtener beneficio*

GERUNDIO: saliendo
G. COMPUESTO: habiendo salido

PARTICIPIO: salido
INF. COMPUESTO: haber salido

SALIR  108

INDICATIVO

T. SIMPLES

PRESENTE

salgo
sales
sale
salimos
salís
salen

PRETÉRITO IMPERFECTO

salía
salías
salía
salíamos
salíais
salían

PRETÉRITO INDEFINIDO

salí	salimos
saliste	salisteis
salió	salieron

FUTURO

saldré
saldrás
saldrá
saldremos
saldréis
saldrán

CONDICIONAL

saldría
saldrías
saldría
saldríamos
saldríais
saldrían

T. COMPUESTOS

PRETÉRITO PERFECTO

he salido
has salido
ha salido
hemos salido
habéis salido
han salido

PRET. PLUSCUAMPERFECTO

había salido
habías salido
había salido
habíamos salido
habíais salido
habían salido

FUTURO PERFECTO

habré salido
habrás salido
habrá salido
habremos salido
habréis salido
habrán salido

CONDICIONAL PERFECTO

habría salido
habrías salido
habría salido
habríamos salido
habríais salido
habrían salido

SUBJUNTIVO

TIEMPOS SIMPLES

PRESENTE

salga
salgas
salga
salgamos
salgáis
salgan

PRET. IMPERFECTO

saliera o saliese
salieras o salieses
saliera o saliese
saliéramos o saliésemos
salierais o salieseis
salieran o saliesen

TIEMPOS COMPUESTOS

PRET. PERFECTO

haya salido
hayas salido
haya salido
hayamos salido
hayáis salido
hayan salido

PRET. PLUSCUAMPERFECTO

hubiera o hubiese salido
hubieras o hubieses salido
hubiera o hubiese salido
hubiéramos o hubiésemos salido
hubierais o hubieseis salido
hubieran o hubiesen salido

IMPERATIVO

sal tú/ no salgas
salid vosotros/ no salgáis
salgamos nosotros/ no salgamos
salga usted/ no salga
salgan ustedes/ no salgan

 TÉRMINOS Y EXPRESIONES

La salida
El saliente
No me sale de las narices – *no lo hago porque no quiero*
Salir a flote – *superar una situación difícil*

Salir por pies – *escapar corriendo de un peligro*
Salir pitando – *salir corriendo*
Salirse con la suya – *conseguir lo que se pretende a pesar de la oposición ajena*

GERUNDIO: siguiendo
G. COMPUESTO: habiendo seguido

PARTICIPIO: seguido
INF. COMPUESTO: haber seguido

INDICATIVO

T. SIMPLES

PRESENTE

sigo
sigues
sigue
seguimos
seguís
siguen

PRETÉRITO IMPERFECTO

seguía
seguías
seguía
seguíamos
seguíais
seguían

PRETÉRITO INDEFINIDO

seguí	seguimos
seguiste	seguisteis
siguió	siguieron

FUTURO

seguiré
seguirás
seguirá
seguiremos
seguiréis
seguirán

CONDICIONAL

seguiría
seguirías
seguiría
seguiríamos
seguiríais
seguirían

T. COMPUESTOS

PRETÉRITO PERFECTO

he seguido
has seguido
ha seguido
hemos seguido
habéis seguido
han seguido

PRET. PLUSCUAMPERFECTO

había seguido
habías seguido
había seguido
habíamos seguido
habíais seguido
habían seguido

FUTURO PERFECTO

habré seguido
habrás seguido
habrá seguido
habremos seguido
habréis seguido
habrán seguido

CONDICIONAL PERFECTO

habría seguido
habrías seguido
habría seguido
habríamos seguido
habríais seguido
habrían seguido

SUBJUNTIVO

TIEMPOS SIMPLES

PRESENTE

siga
sigas
siga
sigamos
sigáis
sigan

PRET. IMPERFECTO

siguiera o siguiese
siguieras o siguieses
siguiera o siguiese
siguiéramos o siguiésemos
siguierais o siguieseis
siguieran o siguiesen

TIEMPOS COMPUESTOS

PRET. PERFECTO

haya seguido
hayas seguido
haya seguido
hayamos seguido
hayáis seguido
hayan seguido

PRET. PLUSCUAMPERFECTO

hubiera o hubiese seguido
hubieras o hubieses seguido
hubiera o hubiese seguido
hubiéramos o hubiésemos seguido
hubierais o hubieseis seguido
hubieran o hubiesen seguido

IMPERATIVO

sigue tú/ no sigas
seguid vosotros/ no sigáis
sigamos nosotros/ no sigamos
siga usted/ no siga
sigan ustedes/ no sigan

TÉRMINOS Y EXPRESIONES

El seguimiento
Seguidamente
Seguirle (a alguien) la corriente – *darle la razón a alguien para que no se enfade o moleste*
Seguir en sus trece – *no cambiar de opinión*

GERUNDIO: sentándose   **PARTICIPIO:** sentado
G. COMPUESTO: habiéndose sentado   **INF. COMPUESTO:** haberse sentado

SENTARSE 110

INDICATIVO

T. SIMPLES

PRESENTE

me siento
te sientas
se sienta
nos sentamos
os sentáis
se sientan

PRETÉRITO IMPERFECTO

me sentaba
te sentabas
se sentaba
nos sentábamos
os sentabais
se sentaban

PRETÉRITO INDEFINIDO

me senté   nos sentamos
te sentaste   os sentasteis
se sentó   se sentaron

FUTURO

me sentaré
te sentarás
se sentará
nos sentaremos
os sentaréis
se sentarán

CONDICIONAL

me sentaría
te sentarías
se sentaría
nos sentaríamos
os sentaríais
se sentarían

T. COMPUESTOS

PRETÉRITO PERFECTO

me he sentado
te has sentado
se ha sentado
nos hemos sentado
os habéis sentado
se han sentado

PRET. PLUSCUAMPERFECTO

me había sentado
te habías sentado
se había sentado
nos habíamos sentado
os habíais sentado
se habían sentado

FUTURO PERFECTO

me habré sentado
te habrás sentado
se habrá sentado
nos habremos sentado
os habréis sentado
se habrán sentado

CONDICIONAL PERFECTO

me habría sentado
te habrías sentado
se habría sentado
nos habríamos sentado
os habríais sentado
se habrían sentado

SUBJUNTIVO

TIEMPOS SIMPLES

PRESENTE

me siente
te sientes
se siente
nos sentemos
os sentéis
se sienten

PRET. IMPERFECTO

me sentara o sentase
te sentaras o sentases
se sentara o sentase
nos sentáramos o sentásemos
os sentarais o sentaseis
se sentaran o sentasen

TIEMPOS COMPUESTOS

PRET. PERFECTO

me haya sentado
te hayas sentado
se haya sentado
nos hayamos sentado
os hayáis sentado
se hayan sentado

PRET. PLUSCUAMPERFECTO

me hubiera o hubiese sentado
te hubieras o hubieses sentado
se hubiera o hubiese sentado
nos hubiéramos o hubiésemos sentado
os hubierais o hubieseis sentado
se hubieran o hubiesen sentado

IMPERATIVO

siéntate tú/ no te sientes
sentaos vosotros/ no os sentéis
sentémonos nosotros/ no nos sentemos
siéntese usted/ no se siente
siéntense ustedes/ no se sienten

TÉRMINOS Y EXPRESIONES

El asiento   Sentar bien/ mal – *tener buen o mal efecto sobre alguien*
La sentada   Sentar la cabeza – *madurar*

111 SENTIR

GERUNDIO: sintiendo
G. COMPUESTO: habiendo sentido

PARTICIPIO: sentido
INF. COMPUESTO: haber sentido

INDICATIVO

T. SIMPLES

PRESENTE

siento
sientes
siente
sentimos
sentís
sienten

PRETÉRITO IMPERFECTO

sentía
sentías
sentía
sentíamos
sentíais
sentían

PRETÉRITO INDEFINIDO

sentí	sentimos
sentiste	sentisteis
sintió	sintieron

FUTURO

sentiré
sentirás
sentirá
sentiremos
sentiréis
sentirán

CONDICIONAL

sentiría
sentirías
sentiría
sentiríamos
sentiríais
sentirían

T. COMPUESTOS

PRETÉRITO PERFECTO

he sentido
has sentido
ha sentido
hemos sentido
habéis sentido
han sentido

PRET. PLUSCUAMPERFECTO

había sentido
habías sentido
había sentido
habíamos sentido
habíais sentido
habían sentido

FUTURO PERFECTO

habré sentido
habrás sentido
habrá sentido
habremos sentido
habréis sentido
habrán sentido

CONDICIONAL PERFECTO

habría sentido
habrías sentido
habría sentido
habríamos sentido
habríais sentido
habrían sentido

SUBJUNTIVO

TIEMPOS SIMPLES

PRESENTE

sienta
sientas
sienta
sintamos
sintáis
sientan

PRET. IMPERFECTO

sintiera o sintiese
sintieras o sintieses
sintiera o sintiese
sintiéramos o sintiésemos
sintierais o sintieseis
sintieran o sintiesen

TIEMPOS COMPUESTOS

PRET. PERFECTO

haya sentido
hayas sentido
haya sentido
hayamos sentido
hayáis sentido
hayan sentido

PRET. PLUSCUAMPERFECTO

hubiera o hubiese sentido
hubieras o hubieses sentido
hubiera o hubiese sentido
hubiéramos o hubiésemos sentido
hubierais o hubieseis sentido
hubieran o hubiesen sentido

IMPERATIVO

siente tú/ no sientas
sentid vosotros/ no sintáis
sintamos nosotros/ no sintamos
sienta usted/ no sienta
sientan ustedes/ no sientan

 TÉRMINOS Y EXPRESIONES

Sentirse	Sensible/ insensible
El sentido	Sensitivo/ -a
El sentimentalismo	Sensorial
El sentimiento	Sentimentalmente

GERUNDIO: siendo
G. COMPUESTO: habiendo sido

PARTICIPIO: sido
INF. COMPUESTO: haber sido

INDICATIVO

T. SIMPLES / T. COMPUESTOS

PRESENTE	PRETÉRITO PERFECTO
soy	he sido
eres	has sido
es	ha sido
somos	hemos sido
sois	habéis sido
son	han sido

PRETÉRITO IMPERFECTO	PRET. PLUSCUAMPERFECTO
era	había sido
eras	habías sido
era	había sido
éramos	habíamos sido
erais	habíais sido
eran	habían sido

PRETÉRITO INDEFINIDO

fui	fuimos
fuiste	fuisteis
fue	fueron

FUTURO	FUTURO PERFECTO
seré	habré sido
serás	habrás sido
será	habrá sido
seremos	habremos sido
seréis	habréis sido
serán	habrán sido

CONDICIONAL	CONDICIONAL PERFECTO
sería	habría sido
serías	habrías sido
sería	habría sido
seríamos	habríamos sido
seríais	habríais sido
serían	habrían sido

SUBJUNTIVO

TIEMPOS SIMPLES

PRESENTE	PRET. IMPERFECTO
sea	fuera o fuese
seas	fueras o fueses
sea	fuera o fuese
seamos	fuéramos o fuésemos
seáis	fuerais o fueseis
sean	fueran o fuesen

TIEMPOS COMPUESTOS

PRET. PERFECTO	PRET. PLUSCUAMPERFECTO
haya sido	hubiera o hubiese sido
hayas sido	hubieras o hubieses sido
haya sido	hubiera o hubiese sido
hayamos sido	hubiéramos o hubiésemos sido
hayáis sido	hubierais o hubieseis sido
hayan sido	hubieran o hubiesen sido

IMPERATIVO

sé tú/ no seas
sed vosotros/ no seáis
seamos nosotros/ no seamos
sea usted/ no sea
sean ustedes/ no sean

 TÉRMINOS Y EXPRESIONES

Érase una vez – *fórmula para iniciar los cuentos infantiles*
Es de cajón – *es evidente, lógico*
Ser un cero a la izquierda – *ser un inútil*
Ser culo de mal asiento – *ser una persona inquieta*
Ser el ojito derecho de alguien – *ser su favorito*

Ser de la otra acera – *ser homosexual*
Ser pan comido – *ser algo muy fácil*

GERUNDIO: sirviendo   **PARTICIPIO:** servido
G. COMPUESTO: habiendo servido   **INF. COMPUESTO:** haber servido

INDICATIVO

T. SIMPLES

PRESENTE

sirvo
sirves
sirve
servimos
servís
sirven

PRETÉRITO IMPERFECTO

servía
servías
servía
servíamos
servíais
servían

PRETÉRITO INDEFINIDO

serví	servimos
serviste	servisteis
sirvió	sirvieron

FUTURO

serviré
servirás
servirá
serviremos
serviréis
servirán

CONDICIONAL

serviría
servirías
serviría
serviríamos
serviríais
servirían

T. COMPUESTOS

PRETÉRITO PERFECTO

he servido
has servido
ha servido
hemos servido
habéis servido
han servido

PRET. PLUSCUAMPERFECTO

había servido
habías servido
había servido
habíamos servido
habíais servido
habían servido

FUTURO PERFECTO

habré servido
habrás servido
habrá servido
habremos servido
habréis servido
habrán servido

CONDICIONAL PERFECTO

habría servido
habrías servido
habría servido
habríamos servido
habríais servido
habrían servido

SUBJUNTIVO

TIEMPOS SIMPLES

PRESENTE	**PRET. IMPERFECTO**
sirva	sirviera o sirviese
sirvas	sirvieras o sirvieses
sirva	sirviera o sirviese
sirvamos	sirviéramos o sirviésemos
sirváis	sirvierais o sirvieseis
sirvan	sirvieran o sirviesen

TIEMPOS COMPUESTOS

PRET. PERFECTO	**PRET. PLUSCUAMPERFECTO**
haya servido	hubiera o hubiese servido
hayas servido	hubieras o hubieses servido
haya servido	hubiera o hubiese servido
hayamos servido	hubiéramos o hubiésemos servido
hayáis servido	hubierais o hubieseis servido
hayan servido	hubieran o hubiesen servido

IMPERATIVO

sirve tú/ no sirvas
servid vosotros/ no sirváis
sirvamos nosotros/ no sirvamos
sirva usted/ no sirva
sirvan ustedes/ no sirvan

 TÉRMINOS Y EXPRESIONES

El servicio	La sirvienta/ el sirviente
El servidor	Inservible
La servidumbre	Servil
El servilismo	
El siervo/ la sierva	

GERUNDIO: sumergiendo   PARTICIPIO: sumergido
G. COMPUESTO: habiendo sumergido   INF. COMPUESTO: haber sumergido

SUMERGIR 114

INDICATIVO

T. SIMPLES

PRESENTE
sumerjo
sumerges
sumerge
sumergimos
sumergís
sumergen

PRETÉRITO IMPERFECTO
sumergía
sumergías
sumergía
sumergíamos
sumergíais
sumergían

PRETÉRITO INDEFINIDO
sumergí	sumergimos
sumergiste	sumergisteis
sumergió	sumergieron

FUTURO
sumergiré
sumergirás
sumergirá
sumergiremos
sumergiréis
sumergirán

CONDICIONAL
sumergiría
sumergirías
sumergiría
sumergiríamos
sumergiríais
sumergirían

T. COMPUESTOS

PRETÉRITO PERFECTO
he sumergido
has sumergido
ha sumergido
hemos sumergido
habéis sumergido
han sumergido

PRET. PLUSCUAMPERFECTO
había sumergido
habías sumergido
había sumergido
habíamos sumergido
habíais sumergido
habían sumergido

FUTURO PERFECTO
habré sumergido
habrás sumergido
habrá sumergido
habremos sumergido
habréis sumergido
habrán sumergido

CONDICIONAL PERFECTO
habría sumergido
habrías sumergido
habría sumergido
habríamos sumergido
habríais sumergido
habrían sumergido

SUBJUNTIVO

TIEMPOS SIMPLES

PRESENTE
sumerja
sumerjas
sumerja
sumerjamos
sumerjáis
sumerjan

PRET. IMPERFECTO
sumergiera o sumergiese
sumergieras o sumergieses
sumergiera o sumergiese
sumergiéramos o sumergiésemos
sumergierals o sumergieseis
sumergieran o sumergiesen

TIEMPOS COMPUESTOS

PRET. PERFECTO
haya sumergido
hayas sumergido
haya sumergido
hayamos sumergido
hayáis sumergido
hayan sumergido

PRET. PLUSCUAMPERFECTO
hubiera o hubiese sumergido
hubieras o hubieses sumergido
hubiera o hubiese sumergido
hubiéramos o hubiésemos sumergido
hubierais o hubieseis sumergido
hubieran o hubiesen sumergido

IMPERATIVO

sumerge tú/ no sumerjas
sumergid vosotros/ no sumerjáis
sumerjamos nosotros/ no sumerjamos
sumerja usted/ no sumerja
sumerjan ustedes/ no sumerjan

 TÉRMINOS Y EXPRESIONES

La sumersión
Sumergible/ insumergible

115 SUSTITUIR

GERUNDIO: sustituyendo
G. COMPUESTO: habiendo sustituido
PARTICIPIO: sustituido
INF. COMPUESTO: haber sustituido

INDICATIVO

T. SIMPLES

PRESENTE

sustituyo
sustituyes
sustituye
sustituimos
sustituís
sustituyen

PRETÉRITO IMPERFECTO

sustituía
sustituías
sustituía
sustituíamos
sustituíais
sustituían

PRETÉRITO INDEFINIDO

sustituí   sustituimos
sustituiste   sustituisteis
sustituyó   sustituyeron

FUTURO

sustituiré
sustituirás
sustituirá
sustituiremos
sustituiréis
sustituirán

CONDICIONAL

sustituiría
sustituirías
sustituiría
sustituiríamos
sustituiríais
sustituirían

T. COMPUESTOS

PRETÉRITO PERFECTO

he sustituido
has sustituido
ha sustituido
hemos sustituido
habéis sustituido
han sustituido

PRET. PLUSCUAMPERFECTO

había sustituido
habías sustituido
había sustituido
habíamos sustituido
habíais sustituido
habían sustituido

FUTURO PERFECTO

habré sustituido
habrás sustituido
habrá sustituido
habremos sustituido
habréis sustituido
habrán sustituido

CONDICIONAL PERFECTO

habría sustituido
habrías sustituido
habría sustituido
habríamos sustituido
habríais sustituido
habrían sustituido

SUBJUNTIVO

TIEMPOS SIMPLES

PRESENTE

sustituya
sustituyas
sustituya
sustituyamos
sustituyáis
sustituyan

PRET. IMPERFECTO

sustituyera o sustituyese
sustituyeras o sustituyeses
sustituyera o sustituyese
sustituyéramos o sustituyésemos
sustituyerais o sustituyeseis
sustituyeran o sustituyesen

TIEMPOS COMPUESTOS

PRET. PERFECTO

haya sustituido
hayas sustituido
haya sustituido
hayamos sustituido
hayáis sustituido
hayan sustituido

PRET. PLUSCUAMPERFECTO

hubiera o hubiese sustituido
hubieras o hubieses sustituido
hubiera o hubiese sustituido
hubiéramos o hubiésemos sustituido
hubierais o hubieseis sustituido
hubieran o hubiesen sustituido

IMPERATIVO

sustituye tú/ no sustituyas
sustituid vosotros/ no sustituyáis
sustituyamos nosotros/ no sustituyamos
sustituya usted/ no sustituya
sustituyan ustedes/ no sustituyan

 TÉRMINOS Y EXPRESIONES

La sustitución   Sustituible/ insustituible
El sustituto/ la sustituta   Sustitutivo/ -a

INDICATIVO

T. SIMPLES

PRESENTE

tardo
tardas
tarda
tardamos
tardáis
tardan

T. COMPUESTOS

PRETÉRITO PERFECTO

he tardado
has tardado
ha tardado
hemos tardado
habéis tardado
han tardado

PRETÉRITO IMPERFECTO

tardaba
tardabas
tardaba
tardábamos
tardabais
tardaban

PRET. PLUSCUAMPERFECTO

había tardado
habías tardado
había tardado
habíamos tardado
habíais tardado
habían tardado

PRETÉRITO INDEFINIDO

tardé   tardamos
tardaste   tardasteis
tardó   tardaron

FUTURO

tardaré
tardarás
tardará
tardaremos
tardaréis
tardarán

FUTURO PERFECTO

habré tardado
habrás tardado
habrá tardado
habremos tardado
habréis tardado
habrán tardado

CONDICIONAL

tardaría
tardarías
tardaría
tardaríamos
tardaríais
tardarían

CONDICIONAL PERFECTO

habría tardado
habrías tardado
habría tardado
habríamos tardado
habríais tardado
habrían tardado

SUBJUNTIVO

TIEMPOS SIMPLES

PRESENTE

tarde
tardes
tarde
tardemos
tardéis
tarden

PRET. IMPERFECTO

tardara o tardase
tardaras o tardases
tardara o tardase
tardáramos o tardásemos
tardarais o tardaseis
tardaran o tardasen

TIEMPOS COMPUESTOS

PRET. PERFECTO

haya tardado
hayas tardado
haya tardado
hayamos tardado
hayáis tardado
hayan tardado

PRET. PLUSCUAMPERFECTO

hubiera o hubiese tardado
hubieras o hubieses tardado
hubiera o hubiese tardado
hubiéramos o hubiésemos tardado
hubierais o hubieseis tardado
hubieran o hubiesen tardado

IMPERATIVO

tarda tú/ no tardes
tardad vosotros/ no tardéis
tardemos nosotros/ no tardemos
tarde usted/ no tarde
tarden ustedes/ no tarden

TÉRMINOS Y EXPRESIONES

Tardar en
La tardanza
La tarde
Tardío/ -a
A más tardar – *como plazo máximo*
De tarde en tarde – *con poca frecuencia*

117 TEMBLAR

GERUNDIO: temblando
G. COMPUESTO: habiendo temblado

PARTICIPIO: temblado
INF. COMPUESTO: haber temblado

INDICATIVO

T. SIMPLES

PRESENTE

tiemblo
tiemblas
tiembla
temblamos
tembláis
tiemblan

PRETÉRITO IMPERFECTO

temblaba
temblabas
temblaba
temblábamos
temblabais
temblaban

PRETÉRITO INDEFINIDO

temblé	temblamos
temblaste	temblasteis
tembló	temblaron

FUTURO

temblaré
temblarás
temblará
temblaremos
temblaréis
temblarán

CONDICIONAL

temblaría
temblarías
temblaría
temblaríamos
temblaríais
temblarían

T. COMPUESTOS

PRETÉRITO PERFECTO

he temblado
has temblado
ha temblado
hemos temblado
habéis temblado
han temblado

PRET. PLUSCUAMPERFECTO

había temblado
habías temblado
había temblado
habíamos temblado
habíais temblado
habían temblado

FUTURO PERFECTO

habré temblado
habrás temblado
habrá temblado
habremos temblado
habréis temblado
habrán temblado

CONDICIONAL PERFECTO

habría temblado
habrías temblado
habría temblado
habríamos temblado
habríais temblado
habrían temblado

SUBJUNTIVO

TIEMPOS SIMPLES

PRESENTE

tiemble
tiembles
tiemble
temblemos
tembléis
tiemblen

PRET. IMPERFECTO

temblara o temblase
temblaras o temblases
temblara o temblase
tembláramos o temblásemos
temblarais o temblaseis
temblaran o temblasen

TIEMPOS COMPUESTOS

PRET. PERFECTO

haya temblado
hayas temblado
haya temblado
hayamos temblado
hayáis temblado
hayan temblado

PRET. PLUSCUAMPERFECTO

hubiera o hubiese temblado
hubieras o hubieses temblado
hubiera o hubiese temblado
hubiéramos o hubiésemos temblado
hubierais o hubieseis temblado
hubieran o hubiesen temblado

IMPERATIVO

tiembla tú/ no tiembles
temblad vosotros/ no tembléis
temblemos nosotros/ no temblemos
tiemble usted/ no tiemble
tiemblen ustedes/ no tiemblen

 TÉRMINOS Y EXPRESIONES

El tembleque
El temblor
Tembloroso/ -a

INDICATIVO

T. SIMPLES

PRESENTE

tengo
tienes
tiene
tenemos
tenéis
tienen

PRETÉRITO IMPERFECTO

tenía
tenías
tenía
teníamos
teníais
tenían

PRETÉRITO INDEFINIDO

tuve	tuvimos
tuviste	tuvisteis
tuvo	tuvieron

FUTURO

tendré
tendrás
tendrá
tendremos
tendréis
tendrán

CONDICIONAL

tendría
tendrías
tendría
tendríamos
tendríais
tendrían

T. COMPUESTOS

PRETÉRITO PERFECTO

he tenido
has tenido
ha tenido
hemos tenido
habéis tenido
han tenido

PRET. PLUSCUAMPERFECTO

había tenido
habías tenido
había tenido
habíamos tenido
habíais tenido
habían tenido

FUTURO PERFECTO

habré tenido
habrás tenido
habrá tenido
habremos tenido
habréis tenido
habrán tenido

CONDICIONAL PERFECTO

habría tenido
habrías tenido
habría tenido
habríamos tenido
habríais tenido
habrían tenido

SUBJUNTIVO

TIEMPOS SIMPLES

PRESENTE	**PRET. IMPERFECTO**
tenga	tuviera o tuviese
tengas	tuvieras o tuvieses
tenga	tuviera o tuviese
tengamos	tuviéramos o tuviésemos
tengáis	tuvierais o tuvieseis
tengan	tuvieran o tuviesen

TIEMPOS COMPUESTOS

PRET. PERFECTO	**PRET. PLUSCUAMPERFECTO**
haya tenido	hubiera o hubiese tenido
hayas tenido	hubieras o hubieses tenido
haya tenido	hubiera o hubiese tenido
hayamos tenido	hubiéramos o hubiésemos tenido
hayáis tenido	hubierais o hubieseis tenido
hayan tenido	hubieran o hubiesen tenido

IMPERATIVO

ten tú/ no tengas
tened vosotros/ no tengáis
tengamos nosotros/ no tengamos
tenga usted/ no tenga
tengan ustedes/ no tengan

TÉRMINOS Y EXPRESIONES

Tener buen saque – *buen apetito*
Tener en cuenta – *considerar, tener presente*
Tener enchufe – *contactos o influencias*
Tener labia – *facilidad de palabra*
Tener mala pata – *mala suerte*
Tener mala pinta – *mal aspecto una cosa o una persona*

Tener algo en la punta de la lengua – *estar a punto de recordar y decir algo*
Tener tablas – *tener experiencia*
Tener que ver – *tener relación*

GERUNDIO: terminando
G. COMPUESTO: habiendo terminado

PARTICIPIO: terminado
INF. COMPUESTO: haber terminado

INDICATIVO

T. SIMPLES

PRESENTE

termino
terminas
termina
terminamos
termináis
terminan

PRETÉRITO IMPERFECTO

terminaba
terminabas
terminaba
terminábamos
terminabais
terminaban

PRETÉRITO INDEFINIDO

terminé	terminamos
terminaste	terminasteis
terminó	terminaron

FUTURO

terminaré
terminarás
terminará
terminaremos
terminaréis
terminarán

CONDICIONAL

terminaría
terminarías
terminaría
terminaríamos
terminaríais
terminarían

T. COMPUESTOS

PRETÉRITO PERFECTO

he terminado
has terminado
ha terminado
hemos terminado
habéis terminado
han terminado

PRET. PLUSCUAMPERFECTO

había terminado
habías terminado
había terminado
habíamos terminado
habíais terminado
habían terminado

FUTURO PERFECTO

habré terminado
habrás terminado
habrá terminado
habremos terminado
habréis terminado
habrán terminado

CONDICIONAL PERFECTO

habría terminado
habrías terminado
habría terminado
habríamos terminado
habríais terminado
habrían terminado

SUBJUNTIVO

TIEMPOS SIMPLES

PRESENTE

termine
termines
termine
terminemos
terminéis
terminen

PRET. IMPERFECTO

terminara o terminase
terminaras o terminases
terminara o terminase
termináramos o terminásemos
terminarais o terminaseis
terminaran o terminasen

TIEMPOS COMPUESTOS

PRET. PERFECTO

haya terminado
hayas terminado
haya terminado
hayamos terminado
hayáis terminado
hayan terminado

PRET. PLUSCUAMPERFECTO

hubiera o hubiese terminado
hubieras o hubieses terminado
hubiera o hubiese terminado
hubiéramos o hubiésemos terminado
hubierais o hubieseis terminado
hubieran o hubiesen terminado

IMPERATIVO

termina tú/ no termines
terminad vosotros/ no terminéis
terminemos nosotros/ no terminemos
termine usted/ no termine
terminen ustedes/ no terminen

 TÉRMINOS Y EXPRESIONES

La terminación	El término	Terminantemente
La terminal	Interminable	Terminar como el rosario de la aurora – *acabar en discusión o pelea*
El terminal	Terminal	

GERUNDIO: tocando
G. COMPUESTO: habiendo tocado

PARTICIPIO: tocado
INF. COMPUESTO: haber tocado

TOCAR  120

INDICATIVO

T. SIMPLES

PRESENTE

toco
tocas
toca
tocamos
tocáis
tocan

PRETÉRITO IMPERFECTO

tocaba
tocabas
tocaba
tocábamos
tocabais
tocaban

PRETÉRITO INDEFINIDO

toqué	tocamos
tocaste	tocasteis
tocó	tocaron

FUTURO

tocaré
tocarás
tocará
tocaremos
tocaréis
tocarán

CONDICIONAL

tocaría
tocarías
tocaría
tocaríamos
tocaríais
tocarían

T. COMPUESTOS

PRETÉRITO PERFECTO

he tocado
has tocado
ha tocado
hemos tocado
habéis tocado
han tocado

PRET. PLUSCUAMPERFECTO

había tocado
habías tocado
había tocado
habíamos tocado
habíais tocado
habían tocado

FUTURO PERFECTO

habré tocado
habrás tocado
habrá tocado
habremos tocado
habréis tocado
habrán tocado

CONDICIONAL PERFECTO

habría tocado
habrías tocado
habría tocado
habríamos tocado
habríais tocado
habrían tocado

SUBJUNTIVO

TIEMPOS SIMPLES

PRESENTE

toque
toques
toque
toquemos
toquéis
toquen

PRET. IMPERFECTO

tocara o tocase
tocaras o tocases
tocara o tocase
tocáramos o tocásemos
tocarais o tocaseis
tocaran o tocasen

TIEMPOS COMPUESTOS

PRET. PERFECTO

haya tocado
hayas tocado
haya tocado
hayamos tocado
hayáis tocado
hayan tocado

PRET. PLUSCUAMPERFECTO

hubiera o hubiese tocado
hubieras o hubieses tocado
hubiera o hubiese tocado
hubiéramos o hubiésemos tocado
hubierais o hubieseis tocado
hubieran o hubiesen tocado

IMPERATIVO

toca tú/ no toques
tocad vosotros/ no toquéis
toquemos nosotros/ no toquemos
toque usted/ no toque
toquen ustedes/ no toquen

 TÉRMINOS Y EXPRESIONES

El tocador
Intocable
Tocarle la lotería (a alguien) – *tener suerte*
Tocarse las narices – *no hacer nada*

121 TRABAJAR

GERUNDIO: trabajando   **PARTICIPIO:** trabajado
G. COMPUESTO: habiendo trabajado   **INF. COMPUESTO:** haber trabajado

INDICATIVO

T. SIMPLES

PRESENTE

trabajo
trabajas
trabaja
trabajamos
trabajáis
trabajan

PRETÉRITO IMPERFECTO

trabajaba
trabajabas
trabajaba
trabajábamos
trabajabais
trabajaban

PRETÉRITO INDEFINIDO

trabajé	trabajamos
trabajaste	trabajasteis
trabajó	trabajaron

FUTURO

trabajaré
trabajarás
trabajará
trabajaremos
trabajaréis
trabajarán

CONDICIONAL

trabajaría
trabajarías
trabajaría
trabajaríamos
trabajaríais
trabajarían

T. COMPUESTOS

PRETÉRITO PERFECTO

he trabajado
has trabajado
ha trabajado
hemos trabajado
habéis trabajado
han trabajado

PRET. PLUSCUAMPERFECTO

había trabajado
habías trabajado
había trabajado
habíamos trabajado
habíais trabajado
habían trabajado

FUTURO PERFECTO

habré trabajado
habrás trabajado
habrá trabajado
habremos trabajado
habréis trabajado
habrán trabajado

CONDICIONAL PERFECTO

habría trabajado
habrías trabajado
habría trabajado
habríamos trabajado
habríais trabajado
habrían trabajado

SUBJUNTIVO

TIEMPOS SIMPLES

PRESENTE

trabaje
trabajes
trabaje
trabajemos
trabajéis
trabajen

PRET. IMPERFECTO

trabajara o trabajase
trabajaras o trabajases
trabajara o trabajase
trabajáramos o trabajásemos
trabajarais o trabajaseis
trabajaran o trabajasen

TIEMPOS COMPUESTOS

PRET. PERFECTO

haya trabajado
hayas trabajado
haya trabajado
hayamos trabajado
hayáis trabajado
hayan trabajado

PRET. PLUSCUAMPERFECTO

hubiera o hubiese trabajado
hubieras o hubieses trabajado
hubiera o hubiese trabajado
hubiéramos o hubiésemos trabajado
hubierais o hubieseis trabajado
hubieran o hubiesen trabajado

IMPERATIVO

trabaja tú/ no trabajes
trabajad vosotros/ no trabajéis
trabajemos nosotros/ no trabajemos
trabaje usted/ no trabaje
trabajen ustedes/ no trabajen

 TÉRMINOS Y EXPRESIONES

El trabajo
El trabajador/ la trabajadora
Trabajoso/ -a

Trabajar a destajo – *mucho, sin descanso*
Trabajar de sol a sol – *desde la mañana a la noche*

INDICATIVO

T. SIMPLES

PRESENTE

traduzco
traduces
traduce
traducimos
traducís
traducen

PRETÉRITO IMPERFECTO

traducía
traducías
traducía
traducíamos
traducíais
traducían

PRETÉRITO INDEFINIDO

traduje	tradujimos
tradujiste	tradujisteis
tradujo	tradujeron

FUTURO

traduciré
traducirás
traducirá
traduciremos
traduciréis
traducirán

CONDICIONAL

traduciría
traducirías
traduciría
traduciríamos
traduciríais
traducirían

T. COMPUESTOS

PRETÉRITO PERFECTO

he traducido
has traducido
ha traducido
hemos traducido
habéis traducido
han traducido

PRET. PLUSCUAMPERFECTO

había traducido
habías traducido
había traducido
habíamos traducido
habíais traducido
habían traducido

FUTURO PERFECTO

habré traducido
habrás traducido
habrá traducido
habremos traducido
habréis traducido
habrán traducido

CONDICIONAL PERFECTO

habría traducido
habrías traducido
habría traducido
habríamos traducido
habríais traducido
habrían traducido

SUBJUNTIVO

TIEMPOS SIMPLES

PRESENTE

traduzca
traduzcas
traduzca
traduzcamos
traduzcáis
traduzcan

PRET. IMPERFECTO

tradujera o tradujese
tradujeras o tradujeses
tradujera o tradujese
tradujéramos o tradujésemos
tradujerais o tradujeseis
tradujeran o tradujesen

TIEMPOS COMPUESTOS

PRET. PERFECTO

haya traducido
hayas traducido
haya traducido
hayamos traducido
hayáis traducido
hayan traducido

PRET. PLUSCUAMPERFECTO

hubiera o hubiese traducido
hubieras o hubieses traducido
hubiera o hubiese traducido
hubiéramos o hubiésemos traducido
hubierais o hubieseis traducido
hubieran o hubiesen traducido

IMPERATIVO

traduce tú/ no traduzcas
traducid vosotros/ no traduzcáis
traduzcamos nosotros/ no traduzcamos
traduzca usted/ no traduzca
traduzcan ustedes/ no traduzcan

 TÉRMINOS Y EXPRESIONES

La traducción
El traductor/ la traductora
Traducible/ intraducible

INDICATIVO

T. SIMPLES

PRESENTE

traigo
traes
trae
traemos
traéis
traen

PRETÉRITO IMPERFECTO

traía
traías
traía
traíamos
traíais
traían

PRETÉRITO INDEFINIDO

traje	trajimos
trajiste	trajisteis
trajo	trajeron

FUTURO

traeré
traerás
traerá
traeremos
traeréis
traerán

CONDICIONAL

traería
traerías
traería
traeríamos
traeríais
traerían

T. COMPUESTOS

PRETÉRITO PERFECTO

he traído
has traído
ha traído
hemos traído
habéis traído
han traído

PRET. PLUSCUAMPERFECTO

había traído
habías traído
había traído
habíamos traído
habíais traído
habían traído

FUTURO PERFECTO

habré traído
habrás traído
habrá traído
habremos traído
habréis traído
habrán traído

CONDICIONAL PERFECTO

habría traído
habrías traído
habría traído
habríamos traído
habríais traído
habrían traído

SUBJUNTIVO

TIEMPOS SIMPLES

PRESENTE

traiga
traigas
traiga
traigamos
traigáis
traigan

PRET. IMPERFECTO

trajera o trajese
trajeras o trajeses
trajera o trajese
trajéramos o trajésemos
trajerais o trajeseis
trajeran o trajesen

TIEMPOS COMPUESTOS

PRET. PERFECTO

haya traído
hayas traído
haya traído
hayamos traído
hayáis traído
hayan traído

PRET. PLUSCUAMPERFECTO

hubiera o hubiese traído
hubieras o hubieses traído
hubiera o hubiese traído
hubiéramos o hubiésemos traído
hubierais o hubieseis traído
hubieran o hubiesen traído

IMPERATIVO

trae tú/ no traigas
traed vosotros/ no traigáis
traigamos nosotros/ no traigamos
traiga usted/ no traiga
traigan ustedes/ no traigan

TÉRMINOS Y EXPRESIONES

Traer de cabeza – *preocupar*
Traer por la calle de la amargura – *preocupar mucho, disgustar*
Traer cola – *se dice cuando un asunto va a tener consecuencias*
Traer a colación – *mencionar*
Traer a la memoria – *recordar*
(Le) trae al fresco – *no le importa nada*

INDICATIVO

T. SIMPLES | T. COMPUESTOS

PRESENTE	PRETÉRITO PERFECTO
valgo	he valido
vales	has valido
vale	ha valido
valemos	hemos valido
valéis	habéis valido
valen	han valido

PRETÉRITO IMPERFECTO	PRET. PLUSCUAMPERFECTO
valía	había valido
valías	habías valido
valía	había valido
valíamos	habíamos valido
valíais	habíais valido
valían	habían valido

PRETÉRITO INDEFINIDO

valí	valimos
valiste	valisteis
valió	valieron

FUTURO	FUTURO PERFECTO
valdré	habré valido
valdrás	habrás valido
valdrá	habrá valido
valdremos	habremos valido
valdréis	habréis valido
valdrán	habrán valido

CONDICIONAL	CONDICIONAL PERFECTO
valdría	habría valido
valdrías	habrías valido
valdría	habría valido
valdríamos	habríamos valido
valdríais	habríais valido
valdrían	habrían valido

SUBJUNTIVO

TIEMPOS SIMPLES

PRESENTE	PRET. IMPERFECTO
valga	valiera o valiese
valgas	valieras o valieses
valga	valiera o valiese
valgamos	valiéramos o valiésemos
valgáis	valierais o valieseis
valgan	valieran o valiesen

TIEMPOS COMPUESTOS

PRET. PERFECTO	PRET. PLUSCUAMPERFECTO
haya valido	hubiera o hubiese valido
hayas valido	hubieras o hubieses valido
haya valido	hubiera o hubiese valido
hayamos valido	hubiéramos o hubiésemos valido
hayáis valido	hubierais o hubieseis valido
hayan valido	hubieran o hubiesen valido

IMPERATIVO

vale tú/ no valgas

valed vosotros/ no valgáis

valgamos nosotros/ no valgamos

valga usted/ no valga

valgan ustedes/ no valgan

 TÉRMINOS Y EXPRESIONES

La invalidez	Inválido/ -a
El vale	Valeroso/ -a
La valentía	Válido/ -a
La valía	Valiente
La validez	Valerosamente
El valor	Valientemente

Vale la pena – *resulta útil o adecuado el esfuerzo por algo*

GERUNDIO: viniendo
G. COMPUESTO: habiendo venido

PARTICIPIO: venido
INF. COMPUESTO: haber venido

INDICATIVO

T. SIMPLES

PRESENTE

vengo
vienes
viene
venimos
venís o venís
vienen

PRETÉRITO IMPERFECTO

venía
venías
venía
veníamos
veníais
venían

PRETÉRITO INDEFINIDO

vine	vinimos
viniste	vinisteis
vino	vinieron

FUTURO

vendré
vendrás
vendrá
vendremos
vendréis
vendrán

CONDICIONAL

vendría
vendrías
vendría
vendríamos
vendríais
vendrían

T. COMPUESTOS

PRETÉRITO PERFECTO

he venido
has venido
ha venido
hemos venido
habéis venido
han venido

PRET. PLUSCUAMPERFECTO

había venido
habías venido
había venido
habíamos venido
habíais venido
habían venido

FUTURO PERFECTO

habré venido
habrás venido
habrá venido
habremos venido
habréis venido
habrán venido

CONDICIONAL PERFECTO

habría venido
habrías venido
habría venido
habríamos venido
habríais venido
habrían venido

SUBJUNTIVO

TIEMPOS SIMPLES

PRESENTE

venga
vengas
venga
vengamos
vengáis
vengan

PRET. IMPERFECTO

viniera o viniese
vinieras o vinieses
viniera o viniese
viniéramos o viniésemos
vinierais o vinieseis
vinieran o viniesen

TIEMPOS COMPUESTOS

PRET. PERFECTO

haya venido
hayas venido
haya venido
hayamos venido
hayáis venido
hayan venido

PRET. PLUSCUAMPERFECTO

hubiera o hubiese venido
hubieras o hubieses venido
hubiera o hubiese venido
hubiéramos o hubiésemos venido
hubierais o hubieseis venido
hubieran o hubiesen venido

IMPERATIVO

ven tú/ no vengas
venid vosotros/ no vengáis
vengamos nosotros/ no vengamos
venga usted/ no venga
vengan ustedes/ no vengan

TÉRMINOS Y EXPRESIONES

La bienvenida
El porvenir
La venida
Venidero/ -a
Venir a cuento/ a colación – *estar algo relacionado con lo que se trata*
Venir como anillo al dedo/ de perilla(s) – *ser muy oportuno*

GERUNDIO: viendo
G. COMPUESTO: habiendo visto

PARTICIPIO: visto
INF. COMPUESTO: haber visto

INDICATIVO

T. SIMPLES

PRESENTE

veo
ves
ve
vemos
veis
ven

PRETÉRITO IMPERFECTO

veía
veías
veía
veíamos
veíais
veían

PRETÉRITO INDEFINIDO

vi	vimos
viste	visteis
vio	vieron

FUTURO

veré
verás
verá
veremos
veréis
verán

CONDICIONAL

vería
verías
vería
veríamos
veríais
verían

T. COMPUESTOS

PRETÉRITO PERFECTO

he visto
has visto
ha visto
hemos visto
habéis visto
han visto

PRET. PLUSCUAMPERFECTO

había visto
habías visto
había visto
habíamos visto
habíais visto
habían visto

FUTURO PERFECTO

habré visto
habrás visto
habrá visto
habremos visto
habréis visto
habrán visto

CONDICIONAL PERFECTO

habría visto
habrías visto
habría visto
habríamos visto
habríais visto
habrían visto

SUBJUNTIVO

TIEMPOS SIMPLES

PRESENTE

vea
veas
vea
veamos
veáis
vean

PRET. IMPERFECTO

viera o viese
vieras o vieses
viera o viese
viéramos o viésemos
vierais o vieseis
vieran o viesen

TIEMPOS COMPUESTOS

PRET. PERFECTO

haya visto
hayas visto
haya visto
hayamos visto
hayáis visto
hayan visto

PRET. PLUSCUAMPERFECTO

hubiera o hubiese visto
hubieras o hubieses visto
hubiera o hubiese visto
hubiéramos o hubiésemos visto
hubierais o hubieseis visto
hubieran o hubiesen visto

IMPERATIVO

ve tú/ no veas
ved vosotros/ no veáis
veamos nosotros/ no veamos
vea usted/ no vea
vean ustedes/ no vean

 TÉRMINOS Y EXPRESIONES

La visión
La vista
El vidente/ la vidente
Ver (algo) de color de rosa – *tener una actitud optimista ante una situación*
Ver las estrellas – *hacerse mucho daño*

Ver (algo) muy negro – *tener una actitud pesimista ante una situación*
Ver venir a (alguien) – *adivinar las intenciones de alguien*
¡Hay que ver! – *se usa para expresar sorpresa o incredulidad*

GERUNDIO: vistiéndose   **PARTICIPIO:** vestido
G. COMPUESTO: habiéndose vestido   **INF. COMPUESTO:** haberse vestido

INDICATIVO

T. SIMPLES

PRESENTE

me visto
te vistes
se viste
nos vestimos
os vestís
se visten

PRETÉRITO IMPERFECTO

me vestía
te vestías
se vestía
nos vestíamos
os vestíais
se vestían

PRETÉRITO INDEFINIDO

me vestí   nos vestimos
te vestiste   os vestisteis
se vistió   se vistieron

FUTURO

me vestiré
te vestirás
se vestirá
nos vestiremos
os vestiréis
se vestirán

CONDICIONAL

me vestiría
te vestirías
se vestiría
nos vestiríamos
os vestiríais
se vestirían

T. COMPUESTOS

PRETÉRITO PERFECTO

me he vestido
te has vestido
se ha vestido
nos hemos vestido
os habéis vestido
se han vestido

PRET. PLUSCUAMPERFECTO

me había vestido
te habías vestido
se había vestido
nos habíamos vestido
os habíais vestido
se habían vestido

FUTURO PERFECTO

me habré vestido
te habrás vestido
se habrá vestido
nos habremos vestido
os habréis vestido
se habrán vestido

CONDICIONAL PERFECTO

me habría vestido
te habrías vestido
se habría vestido
nos habríamos vestido
os habríais vestido
se habrían vestido

SUBJUNTIVO

TIEMPOS SIMPLES

PRESENTE

me vista
te vistas
se vista
nos vistamos
os vistáis
se vistan

PRET. IMPERFECTO

me vistiera o vistiese
te vistieras o vistieses
se vistiera o vistiese
nos vistiéramos o vistiésemos
os vistierais o vistieseis
se vistieran o vistiesen

TIEMPOS COMPUESTOS

PRET. PERFECTO

me haya vestido
te hayas vestido
se haya vestido
nos hayamos vestido
os hayáis vestido
se hayan vestido

PRET. PLUSCUAMPERFECTO

me hubiera o hubiese vestido
te hubieras o hubieses vestido
se hubiera o hubiese vestido
nos hubiéramos o hubiésemos vestido
os hubierais o hubieseis vestido
se hubieran o hubiesen vestido

IMPERATIVO

vístete tú/ no te vistas
vestíos vosotros/ no os vistáis
vistámonos nosotros/ no nos vistamos
vístase usted/ no se vista
vístanse ustedes/ no se vistan

TÉRMINOS Y EXPRESIONES

El vestido   La vestimenta
El vestidor   El vestuario
La vestidura

INDICATIVO

T. SIMPLES | T. COMPUESTOS

PRESENTE | **PRETÉRITO PERFECTO**

viajo	he viajado
viajas	has viajado
viaja	ha viajado
viajamos	hemos viajado
viajáis	habéis viajado
viajan	han viajado

PRETÉRITO IMPERFECTO | **PRET. PLUSCUAMPERFECTO**

viajaba	había viajado
viajabas	habías viajado
viajaba	había viajado
viajábamos	habíamos viajado
viajabais	habíais viajado
viajaban	habían viajado

PRETÉRITO INDEFINIDO

viajé	viajamos
viajaste	viajasteis
viajó	viajaron

FUTURO | **FUTURO PERFECTO**

viajaré	habré viajado
viajarás	habrás viajado
viajará	habrá viajado
viajaremos	habremos viajado
viajaréis	habréis viajado
viajarán	habrán viajado

CONDICIONAL | **CONDICIONAL PERFECTO**

viajaría	habría viajado
viajarías	habrías viajado
viajaría	habría viajado
viajaríamos	habríamos viajado
viajaríais	habríais viajado
viajarían	habrían viajado

SUBJUNTIVO

TIEMPOS SIMPLES

PRESENTE | **PRET. IMPERFECTO**

viaje	viajara o viajase
viajes	viajaras o viajases
viaje	viajara o viajase
viajemos	viajáramos o viajásemos
viajéis	viajarais o viajaseis
viajen	viajaran o viajasen

TIEMPOS COMPUESTOS

PRET. PERFECTO | **PRET. PLUSCUAMPERFECTO**

haya viajado	hubiera o hubiese viajado
hayas viajado	hubieras o hubieses viajado
haya viajado	hubiera o hubiese viajado
hayamos viajado	hubiéramos o hubiésemos viajado
hayáis viajado	hubierais o hubieseis viajado
hayan viajado	hubieran o hubiesen viajado

IMPERATIVO

viaja tú/ no viajes
viajad vosotros/ no viajéis
viajemos nosotros/ no viajemos
viaje usted/ no viaje
viajen ustedes/ no viajen

 TÉRMINOS Y EXPRESIONES

El viajante
El viaje
El viajero/ la viajera

GERUNDIO: viviendo   **PARTICIPIO:** vivido
G. COMPUESTO: habiendo vivido   **INF. COMPUESTO:** haber vivido

INDICATIVO

T. SIMPLES	T. COMPUESTOS
PRESENTE	**PRETÉRITO PERFECTO**
vivo	he vivido
vives	has vivido
vive	ha vivido
vivimos	hemos vivido
vivís	habéis vivido
viven	han vivido
PRETÉRITO IMPERFECTO	**PRET. PLUSCUAMPERFECTO**
vivía	había vivido
vivías	habías vivido
vivía	había vivido
vivíamos	habíamos vivido
vivíais	habíais vivido
vivían	habían vivido

PRETÉRITO INDEFINIDO

viví	vivimos
viviste	vivisteis
vivió	vivieron

FUTURO	FUTURO PERFECTO
FUTURO	**FUTURO PERFECTO**
viviré	habré vivido
vivirás	habrás vivido
vivirá	habrá vivido
viviremos	habremos vivido
viviréis	habréis vivido
vivirán	habrán vivido
CONDICIONAL	**CONDICIONAL PERFECTO**
viviría	habría vivido
vivirías	habrías vivido
viviría	habría vivido
viviríamos	habríamos vivido
viviríais	habríais vivido
vivirían	habrían vivido

SUBJUNTIVO

TIEMPOS SIMPLES

PRESENTE	PRET. IMPERFECTO
viva	viviera o viviese
vivas	vivieras o vivieses
viva	viviera o viviese
vivamos	viviéramos o viviésemos
viváis	vivierais o vivieseis
vivan	vivieran o viviesen

TIEMPOS COMPUESTOS

PRET. PERFECTO	PRET. PLUSCUAMPERFECTO
haya vivido	hubiera o hubiese vivido
hayas vivido	hubieras o hubieses vivido
haya vivido	hubiera o hubiese vivido
hayamos vivido	hubiéramos o hubiésemos vivido
hayáis vivido	hubierais o hubieseis vivido
hayan vivido	hubieran o hubiesen vivido

IMPERATIVO

vive tú/ no vivas
vivid vosotros/ no viváis
vivamos nosotros/ no vivamos
viva usted/ no viva
vivan ustedes/ no vivan

TÉRMINOS Y EXPRESIONES

La vida   Vivir del cuento – *vivir sin trabajar*
La vitalidad   Vivir a cuerpo de rey / como Dios – *vivir con todo tipo de lujos*
La vivencia
La vivienda
Vividor/ -a

GERUNDIO: volviendo
G. COMPUESTO: habiendo vuelto

PARTICIPIO: vuelto
INF. COMPUESTO: haber vuelto

INDICATIVO

T. SIMPLES

PRESENTE

vuelvo
vuelves
vuelve
volvemos
volvéis
vuelven

PRETÉRITO IMPERFECTO

volvía
volvías
volvía
volvíamos
volvíais
volvían

PRETÉRITO INDEFINIDO

volví	volvimos
volviste	volvisteis
volvió	volvieron

FUTURO

volveré
volverás
volverá
volveremos
volveréis
volverán

CONDICIONAL

volvería
volverías
volvería
volveríamos
volveríais
volverían

T. COMPUESTOS

PRETÉRITO PERFECTO

he vuelto
has vuelto
ha vuelto
hemos vuelto
habéis vuelto
han vuelto

PRET. PLUSCUAMPERFECTO

había vuelto
habías vuelto
había vuelto
habíamos vuelto
habíais vuelto
habían vuelto

FUTURO PERFECTO

habré vuelto
habrás vuelto
habrá vuelto
habremos vuelto
habréis vuelto
habrán vuelto

CONDICIONAL PERFECTO

habría vuelto
habrías vuelto
habría vuelto
habríamos vuelto
habríais vuelto
habrían vuelto

SUBJUNTIVO

TIEMPOS SIMPLES

PRESENTE

vuelva
vuelvas
vuelva
volvamos
volváis
vuelvan

PRET. IMPERFECTO

volviera o volviese
volvieras o volvieses
volviera o volviese
volviéramos o volviésemos
volvierais o volvieseis
volvieran o volviesen

TIEMPOS COMPUESTOS

PRET. PERFECTO

haya vuelto
hayas vuelto
haya vuelto
hayamos vuelto
hayáis vuelto
hayan vuelto

PRET. PLUSCUAMPERFECTO

hubiera o hubiese vuelto
hubieras o hubieses vuelto
hubiera o hubiese vuelto
hubiéramos o hubiésemos vuelto
hubierais o hubieseis vuelto
hubieran o hubiesen vuelto

IMPERATIVO

vuelve tú/ no vuelvas
volved vosotros/ no volváis
volvamos nosotros/ no volvamos
vuelva usted/ no vuelva
vuelvan ustedes/ no vuelvan

TÉRMINOS Y EXPRESIONES

La vuelta
Dar una vuelta – *dar un paseo*
Darse la vuelta – *girar sobre uno mismo o volver*
Volver en sí – *recuperar el conocimiento*
Volverse loco – *enloquecer*

Actividades

PRÁCTICA 1

1 **Escribe al lado de cada forma verbal la persona correspondiente.**

1. cenan . . . .
2. comprendemos . . . .
3. salto . . . .
4. come . . . .
5. toso . . . .
6. abrís . . . .
7. corren . . . .
8. miro . . . .
9. vivís . . . .
10. escribes . . . .

11. rompen . . . .
12. bebéis . . . .
13. respondemos . . . .
14. coses . . . .
15. vende . . . .
16. corren . . . .
17. aprende . . . .
18. trabajan . . . .
19. repartimos . . . .
20. necesitas . . . .

2 **Escribe los siguientes verbos en presente de indicativo y localízalos en la sopa de letras.**

1. luchar (1.ª pers. pl.) . . . .
2. levantar (1.ª pers. pl.) . . . .
3. tocar (3.ª pers. sg.) . . . .
4. abrir (3.ª pers. pl.) . . . .
5. besar (2.ª pers. pl.) . . . .
6. soplar (3.ª pers. pl.) . . . .
7. escribir (2.ª pers. pl.) . . . .
8. insultar (3.ª pers. sg.) . . . .
9. sudar (2.ª pers. sg.) . . . .
10. comprender (1.ª pers. sg.) . . . .
11. lavar (2.ª pers. pl.) . . . .
12. ayudar (1.ª pers. sg.) . . . .

pers.: persona
pl.: plural
sg.: singular

13. aplaudir (2.ª pers. pl.) . . . .

14. ver (1.ª pers. sg.) . . . .

15. coser (2.ª pers. sg.) . . . .

```
F  G  H  J  J  J  I  N  S  U  L  T  A  F
A  L  K  U  I  F  R  R  U  O  A  E  R  D
C  U  E  N  A  H  J  Y  D  P  V  F  G  G
S  C  L  V  A  D  G  L  A  L  A  D  H  A
X  H  O  T  A  U  N  I  S  I  I  C  E  P
F  A  B  R  E  N  I  U  H  A  S  N  S  L
G  M  A  S  D  F  T  O  C  A  P  H  C  A
O  O  F  G  T  I  O  A  N  E  L  A  R  U
U  S  O  P  L  A  N  G  M  H  K  E  I  D
Q  J  I  O  N  B  D  A  W  O  E  R  B  I
C  O  S  E  S  T  A  J  B  E  S  A  I  S
A  D  F  G  H  J  V  J  A  D  F  H  S  H
A  Y  U  D  O  I  E  U  M  J  A  A  G  J
F  T  H  L  O  C  O  M  P  R  E  N  D  O
```

3 **Ordena las letras para formar el verbo correspondiente.**

1. A O G H . . . .

2. L S O A G . . . .

3. I D O G . . . .

4. O Q U P E . . . .

5. O P N O G . . . .

6. N E V O G . . . .

7. D Y O . . . .

8. A T R I G O . . . .

9. G E N T O ....

10. O G I O ....

11. A I C G O ....

12. O Y V ....

13. O Y S ....

14. S Y E T O ....

15. É S ....

4 **Escribe el infinitivo de los verbos del ejercicio anterior.**

1. ....   9. ....

2. ....   10. ....

3. ....   11. ....

4. ....   12. ....

5. ....   13. ....

6. ....   14. ....

7. ....   15. ....

8. ....

5 **Completa los huecos de las siguientes frases con la primera persona del singular.**

1. Todas las mañanas (poner) .... la radio al levantarme.

2. Os (traer) .... los discos que me pedisteis.

3. Esta tarde, sin falta, (ir) .... a hacerme un chequeo.

4. A mis sobrinos les (decir) .... que no usen el ordenador.

5. (Estar) .... muy nervioso por el examen.

6. No (tener) .... un buen recuerdo de aquello.

7. No (saber) .... lo que quieres decir con eso.

8. (Venir) .... corriendo desde casa.

6 Completa los cuadros con las formas del presente de indicativo.

CAER
Yo . . . .
Tú . . . . *caes* . . . .
Él / ella / usted . . . .
Nosotros /-as . . . .
Vosotros /-as . . . . . . *caéis* . . . . . .
Ellos /-as / ustedes . . . *caen* . . . .

CABER
Yo . . . .
Tú . . . .
Él / ella / usted . . . .
Nosotros /-as . . . . *cabemos* . . . .
Vosotros /-as . . . .
Ellos /-as / ustedes . . . *caben* . . . .

OÍR
Yo . . . .
Tú . . . .
Él / ella / usted . . . . . *oye* . . . . . .
Nosotros /-as . . . .
Vosotros /-as . . . .
Ellos /-as / ustedes . . . *oyen* . . . .

DAR
Yo . . . .
Tú . . . .
Él / ella / usted . . . . . . *da* . . . . . .
Nosotros /-as . . . . . *damos* . . . . .
Vosotros /-as . . . .
Ellos /-as / ustedes . . . . *dan* . . . .

HACER
Yo . . . .
Tú . . . . *haces* . . . .
Él / ella / usted . . . . . *hace* . . . . .
Nosotros /-as . . . . *hacemos* . . . .
Vosotros /-as . . . .
Ellos /-as / ustedes . . . .

SALIR
Yo . . . .
Tú . . . . *sales* . . . .
Él / ella / usted . . . .
Nosotros /-as . . . .
Vosotros /-as . . . . . . *salís* . . . . . .
Ellos /-as / ustedes . . . .

PRÁCTICA 2

1 Completa con los diptongos *-ie* y *-ue* las siguientes formas verbales.

1. m __ __ rdo	**11.** d __ __ len	**21.** tr __ __ na
2. c __ __ rran	**12.** p __ __ rdes	**22.** m __ __ res
3. emp __ __ zas	**13.** cal __ __ ntas	**23.** s __ __ n te
4. desp __ __ rta	**14.** pr __ __ ba	**24.** res __ __ lven
5. v __ __ lven	**15.** c __ __ nto	**25.** cons __ __ nten
6. m __ __ nten	**16.** d __ __ rmen	**26.** def __ __ ndo
7. s __ __ ñas	**17.** enc __ __ ntro	**27.** v __ __ rte
8. mer __ __ ndo	**18.** v __ __ las	**28.** h __ __ ren
9. enc __ __ nde	**19.** pref __ __ ren	
10. n __ __ va	**20.** t __ __ mblo	

2 Escribe los verbos del ejercicio anterior en presente de subjuntivo, respetando las personas.

1. morder	**15.** contar . . . .
2. cerrar	**16.** dormir. . . . .
3. empezar	**17.** encontrar . . . .
4. despertar	**18.** volar . . . .
5. volver	**19.** preferir . . . .
6. mentir.	**20.** temblar . . . .
7. soñar.	**21.** tronar . . . .
8. merendar	**22.** morir. . . . .
9. encender.	**23.** sentir. . . . .
10. nevar.	**24.** resolver. . . . .
11. doler	**25.** consentir. . . . .
12. perder	**26.** defender . . . .
13. calentar.	**27.** verter . . . .
14. probar.	**28.** herir . . . .

3 Ahora fíjate en lo que ocurre con el imperativo. Escribe al lado de cada forma verbal la persona de imperativo correspondiente.

1. muera . . . .

2. dormid . . . .

3. defiende . . . .

4. mientan . . . .

5. gobernemos . . . .

6. quiere . . . .

7. cuenta . . . .

8. consintamos . . . .

9. pierde . . . .

10. jueguen . . . .

11. entiendan . . . .

12. muerde . . . .

13. cierre . . . .

14. empiece . . . .

15. volved . . . .

16. sueña . . . .

17. merendad . . . .

18. cuelguen . . . .

4 Escribe la forma correcta del presente de indicativo.

1. Yo todos los meses (contar) . . . . el dinero de mi sueldo.

2. El avión (sobrevolar) . . . . los rascacielos de la ciudad.

3. Nosotros no (acordarse) . . . . de su nueva dirección.

4. Ella (colgar) . . . . su abrigo en el perchero.

5. Los estudiantes (sentarse) . . . . en sus sillas.

6. Los niños (merendar) . . . . un bocadillo de queso.

7. Vosotros casi (perder) . . . . hoy el autobús.

8. Mi vecina (tender) . . . . la ropa en su terraza.

9. El perro (morder) . . . . los huesos de plástico.

10. El presidente (gobernar) . . . . el país.

11. Nosotros (atravesar) . . . . el río en barca.

12. Los pájaros (volar) . . . . alegremente.

13. La dependienta (envolver) . . . . el regalo en papel de colores.

14. El enfermo (sentirse) . . . . peor esta mañana.

15. Los jóvenes (divertirse) . . . . bailando en la discoteca.

16. Mi prima (mentir) . . . . con mucha facilidad.

17. El sol (morir) . . . . al anochecer.

18. Yo no (consentir) . . . . que fumen en clase.

PRESENTE DE INDICATIVO: E > I / C > ZC / -UIR

1 Escribe cuáles de estos verbos son regulares y cuáles tienen la irregularidad *e > i*.

1. subir . . . .   **6.** abrir . . . .

2. pedir . . . .   **7.** reír . . . .

3. repetir. . . . .   **8.** insistir. . . . .

4. repartir . . . .   **9.** medir . . . .

5. teñir . . . .   **10.** confundir . . . .

2 Siguiendo el modelo del verbo *pedir* conjuga los verbos siguientes.

PEDIR
Yo pido
Tú pides
Él / ella / usted pide
Nosotros /-as pedimos
Vosotros /-as pedís
Ellos /-as / ustedes piden

REÑIR
Yo . . . .
Tú . . . .
Él / ella / usted . . . .
Nosotros /-as . . . .
Vosotros /-as . . . .
Ellos /-as / ustedes . . . .

REPETIR
Yo . . . .
Tú . . . .
Él / ella / usted . . . .
Nosotros /-as . . . .
Vosotros /-as . . . .
Ellos /-as / ustedes . . . .

SERVIR
Yo . . . .
Tú . . . .
Él / ella / usted . . . .
Nosotros /-as . . . .
Vosotros /-as . . . .
Ellos /-as / ustedes . . . .

3 Ordena las letras y obtendrás la primera persona del singular de los siguientes verbos.

1. cnocozo (conocer) . . . .

5. oezemrc (merecer) . . . .

2. dudeczo (deducir) . . . .

6. concdouz (conducir) . . . .

3. crfoezo (ofrecer) . . . .

7. zanco (nacer) . . . .

4. seuzdoc (seducir) . . . .

8. artudzco (traducir) . . . .

4 Completa los huecos con las formas que faltan.

CONOCER
Yo . . . .
Tú . . . .
Él / ella / usted . . . .
Nosotros /-as . . . *conocemos* . . .
Vosotros /-as . . . .
Ellos /-as / ustedes . . *conocen* . . .

OFRECER
Yo . . . .
Tú . . . . *ofreces* . . . .
Él / ella / usted . . . .
Nosotros /-as . . . .
Vosotros /-as . . . . . *ofrecéis* . . . . .
Ellos /-as / ustedes . . . .

SEDUCIR
Yo . . . .
Tú . . . .
Él / ella / usted . . . . *seduce* . . . . .
Nosotros /-as . . . .
Vosotros /-as . . . .
Ellos /-as / ustedes . . *seducen* . . .

NACER
Yo . . . .
Tú . . . .
Él / ella / usted . . . . . *nace* . . . . .
Nosotros /-as . . . .
Vosotros /-as . . . .
Ellos /-as / ustedes . . . .

5 **Completa con las formas -y y -u.**

1. hu __ o

2. constr __ imos

3. instr __ ís

4. conclu __ o

5. destru __ en

6. distribu __ e

7. intu __ es

8. dismin __ ís

9. concl __ ís

10. hu __ es

11. constru __ o

12. instru __ es

13. disminu __ en

14. destr __ imos

15. distribu __ en

16. int __ imos

6 **Conjuga el presente de los siguientes verbos.**

CONCLUIR
Yo . . . .
Tú . . . .
Él / ella / usted . . . .
Nosotros /-as . . . .
Vosotros /-as . . . .
Ellos /-as / ustedes . . . .

DISMINUIR
Yo . . . .
Tú . . . .
Él / ella / usted . . . .
Nosotros /-as . . . .
Vosotros /-as . . . .
Ellos /-as / ustedes . . . .

HUIR
Yo . . . .
Tú . . . .
Él / ella / usted . . . .
Nosotros /-as . . . .
Vosotros /-as . . . .
Ellos /-as / ustedes . . . .

INTUIR
Yo . . . .
Tú . . . .
Él / ella / usted . . . .
Nosotros /-as . . . .
Vosotros /-as . . . .
Ellos /-as / ustedes . . . .

7 **Completa con la forma correcta del presente.**

1. Los elefantes (destruir) .... los campos de cultivo.

2. Mi hermano (pedir) .... un aumento de sueldo a su jefe.

3. Marta (teñirse) .... el pelo cada dos meses.

4. Tú (intuir) .... siempre el tiempo que hará.

5. Todavía yo no (conocer) .... el presente de subjuntivo.

6. Vosotros (concluir) .... la cena con un brindis.

7. Yo siempre (ofrecer) .... mi ayuda a los buenos amigos.

8. Marcos (vestirse) .... de payaso para el día de mi cumpleaños.

9. Mis primos y yo (divertirse) .... mucho en el viaje de fin de curso.

10. Alicia siempre (seducir) .... a los chicos más guapos.

11. Mi cuñado Nicolás (medir) .... más de dos metros.

12. Mi abuelo siempre nos (reñir) .... cuando hacemos travesuras.

13. Desde pequeño yo (aborrecer) .... las espinacas.

14. Los actores y las actrices (vestirse) .... en el camerino.

15. Unos niños (construir) .... castillos de arena en la playa.

16. Creo que yo no (merecer) .... que me trates así.

17. Los loros (repetir) .... todo lo que oyen.

18. En primavera (nacer) .... muchas flores.

19. Los camareros (servir) .... elegantemente la cena.

20. Tú siempre me (pedir) .... el diccionario.

8 Clasifica cada grupo de verbos según la irregularidad que lo define.

1.

Quepo

Caigo

Decimos

Haces

2.

Truena

Volamos

Cuelgan

Volvéis

3.

Reduces

Reconozco

Aborrecéis

Nazco

a) e > i

b) e > ie

c) o > ue

d) -uir

e) c > zc

f) 1.ª persona irregular

4.

Meriendan

Cerráis

Apretamos

Nieva

5.

Sigues

Pedimos

Corrigen

Sirvo

6.

Intuyo

Huimos

Retribuyes

Incluís

PRÁCTICA 4

1 Construye los imperativos afirmativos y negativos de los siguientes verbos.

1. repartir (tú) . . . . ; no . . . .

2. colorear (nosotros) . . . . ; no . . . .

3. esconder (usted) . . . . ; no . . . .

4. discurrir (vosotras) . . . . ; no . . . .

5. disparar (usted) . . . . ; no . . . .

6. frenar (tú) . . . . ; no . . . .

7. aliñar (vosotros) . . . . ; no . . . .

8. creer (ustedes) . . . . ; no . . . .

9. saltar (vosotras) . . . . ; no . . . .

10. limpiar (ustedes) . . . . ; no . . . .

11. hundir (tú) . . . . ; no . . . .

12. coser (nosotros) . . . . ; no . . . .

13. partir (usted) . . . . ; no . . . .

14. aplaudir (vosotros) . . . . ; no . . . .

2 Ordena las letras y obtendrás la persona tú del imperativo.

1. A H Z . . . .

2. O N P . . . .

3. I D . . . .

4. E V . . . .

5. T N E . . . .

6. L S A . . . .

7. N V E . . . .

8. A D . . . .

9. E O Y . . . .

10. É S . . . .

3 **Relaciona cada imperativo con la persona correspondiente.**

1. cortes

2. apague

3. habléis

4. leamos

5. borre

6. grabéis

7. denuncien

8. derroches

9. aplaudas

10. gritemos

11. abras

12. corráis

13. teman

14. escupáis

15. vuelvan

16. recemos

Tú

Usted

Nosotros /-as

Vosotros /-as

Ustedes

4 **Elige entre** *o > ue* **y** *e > ie.*

1. h __ __ la

2. dis __ __ nta

3. m __ __ va

4. mer __ __ enden

5. d __ __ rma

6. rec __ __ rde

7. v __ __ rta

8. s __ __ ñe

9. v __ __ lvan

10. adqu __ __ ra

11. c __ __ lguen

12. apr __ __ te

13. s __ __ mbre

14. s __ __ nen

15. t __ __ ndan

16. p __ __ nse

5 Completa los cuadros.

MEDIR	
Tú	.... mide ....
Usted	....
Nosotros /-as	.... midamos ....
Vosotros /-as	....
Ustedes	....

MORIR	
Tú	....
Usted	.... muera ....
Nosotros /-as	....
Vosotros /-as	....
Ustedes	...... mueran ....

REÍR	
Tú	....
Usted	....
Nosotros /-as	....
Vosotros /-as	...... reíd ......
Ustedes	.... rían ....

MERECER	
Tú	.... merece ....
Usted	.... merezca ....
Nosotros /-as	....
Vosotros /-as	....
Ustedes	....

SERVIR	
Tú	.... sirve ....
Usted	.... sirva ....
Nosotros /-as	....
Vosotros /-as	....
Ustedes	....

OFRECER	
Tú	....
Usted	....
Nosotros /-as	.... ofrezcamos ..
Vosotros /-as	..... ofreced .....
Ustedes	....

DORMIR	
Tú	.... duerme ....
Usted	....
Nosotros /-as	.... durmamos ...
Vosotros /-as	....
Ustedes	....

TRADUCIR	
Tú	.... traduce ....
Usted	....
Nosotros /-as	....
Vosotros /-as	..... traducid .....
Ustedes	....

6 **Completa los huecos.**

	Tú	Usted	Vosotros /-as	Ustedes
1. hacer	....	....	haced	hagan
2. venir	....	venga	....	....
3. tener	....	tenga	tened	....
4. salir	....	....	....	salgan
5. oír	....	oiga	....	....
6. poner	....	....	....	pongan
7. decir	....	diga	....	....
8. dar	....	....	....	den
9. ser	....	....	sed	....
10. tener	....	....	....	tengan

7 **Escribe las formas del imperativo en la persona que se indica y localízalas en la sopa de letras.**

1. tener (nosotros) . . . .

2. poner (vosotras) . . . .

3. venir (nosotros) . . . .

4. hacer (tú) . . . .

5. ir (ustedes) . . . .

6. dar (nosotras) . . . .

7. decir (vosotros) . . . .

8. tener (tú) . . . .

9. venir (ustedes) . . . .

10. tener (vosotros) . . . .

11. salir (tú) . . . .

12. oír (nosotras) . . . .

13. ir (tú) . . . .

14. salir (ustedes) . . . .

```
V  W  G  O  D  G  K  Ñ  D  A  E  G  L  Ñ  A  R
Z  E  A  D  T  G  T  C  V  H  E  I  H  S  T  M
T  E  N  E  D  N  M  E  M  G  H  I  U  O  P  K
E  H  I  G  I  E  V  E  N  G  A  N  A  Z  X  E
N  M  C  H  A  Z  B  A  A  D  G  O  N  D  V  U
G  R  I  H  O  M  I  E  Y  S  X  P  O  N  E  D
A  X  F  E  Y  H  O  N  M  A  L  Ñ  I  M  U  Y
M  E  M  D  E  M  O  S  Q  G  N  O  G  D  C  G
O  R  T  E  M  A  P  A  Y  B  D  I  A  Q  A  X
S  G  A  C  C  S  A  L  G  A  N  U  M  R  E  T
T  I  L  I  Q  A  D  V  N  M  I  O  O  Z  B  U
E  H  F  D  D  R  L  E  S  A  O  L  S  U  H  F
A  E  D  T  G  N  J  T  D  F  H  K  S  O  P  H
```

8 **Encuentra los verbos que se ha comido la serpiente.**

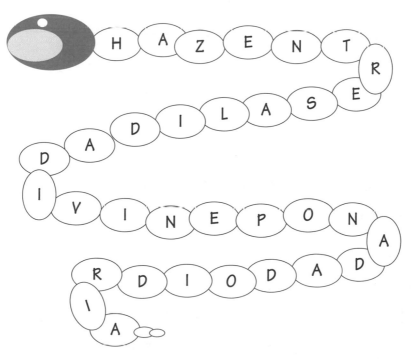

PRÁCTICA 5

1 **Completa con** *-ie* y *-ue.*

1. atrav __ __ se

2. env __ __ lva

3. qu __ __ ran

4. pr __ __ bes

5. ll __ __ va

6. emp __ __ ce

7. adqu __ __ ras

8. m __ __ rdan

9. v __ __ le

10. fr __ __ gue

11. v __ __ rtas

12. c __ __ nten

13. ac __ __ rte

14. com __ __ ncen

15. h __ __ lan

16. s __ __ ne

17. mer __ __ ndes

18. pref __ __ ras

19. m __ __ va

20. desp __ __ rtes

2 **Señala a qué personas les corresponden** *-ie, -i* y *-ue, -u* **en su raíz.**

Ejemplo: *mient-* → *yo, tú, él / ella / usted, ellos /-as / ustedes*
mint- → *nosotros /-as, vosotros /-as*

1. prefir- . . . .

2. prefier- . . . .

3. duerm- . . . .

4. dur- . . . .

5. sient- . . . .

6. sint- . . . .

7. mur- . . . .

8. muer- . . . .

3 **Indica a qué infinitivos pertenecen las siguientes raíces verbales.**

Ejemplo: *dig-* → *decir*

1. veng- . . . .

2. est- . . . .

3. vay- . . . .

4. sep- . . . .

5. d- . . . .

6. hag- . . . .

7. hay- . . . .

8. quep- . . . .

4 Conjuga en la tabla el presente de subjuntivo de los siguientes infinitivos. Ten en cuenta la primera persona del singular del presente de indicativo.

	Yo	Tú	Él / ella / usted	Nosotros /-as	Vosotros /-as	Ellos /-as / ustedes
REPETIR						
SERVIR						
CONOCER						
CONSTRUIR						
DEDUCIR						
HUIR						
INTUIR						
PRODUCIR						

5 Escribe la primera persona del singular del presente de subjuntivo de los siguientes infinitivos y a continuación búscalos en la sopa de letras.

1. hacer . . . .   **6.** tener . . . .

2. salir . . . .   **7.** caer . . . .

3. decir . . . .   **8.** traer . . . .

4. poner . . . .   **9.** oír . . . .

5. venir . . . .   **10.** ver . . . .

D	F	G	G	H	D	P	F	J	I	O	J	G	E	E	G
H	A	G	A	M	O	S	S	F	S	Q	R	V	N	J	G
S	E	D	F	N	J	A	T	E	O	S	A	T	J	T	F
Ñ	V	G	G	A	E	L	T	U	M	B	H	R	M	Y	D
Ñ	B	A	M	D	I	G	A	J	A	C	R	A	A	J	J
Ñ	I	G	X	Z	A	A	H	U	G	J	O	I	G	A	A
S	H	I	Y	U	I	S	A	F	N	G	H	G	Q	I	Y
U	O	A	L	B	N	F	S	T	E	N	G	A	I	S	G
A	I	C	E	T	G	X	G	J	V	A	G	N	J	H	V
L	H	I	F	L	H	I	A	G	J	U	Y	T	W	D	G

6 Ordena las letras y escribe a qué persona pertenecen los verbos que encuentres. Te indicamos en negrita la primera letra.

Ejemplo: *gsanop → pongas → 2.ª pers. sg.*

1. ag**h**asom . . . .

2. ya**h**sa . . . .

3. se**d** . . . .

4. gi**d**iás . . . .

5. sie**d** . . . .

6. ago**p**noms . . . .

7. la**s**agn . . . .

8. **o**gia . . . .

9. iáse**l** . . . .

10. e**v**sa . . . .

11. gamso**c**ai . . . .

12. nets**g**a . . . .

13. ay**v**an . . . .

14. **s**iálgas . . . .

15. tesmos**e** . . . .

16. sa**h**ga . . . .

7 Corrige los errores de las siguientes formas del presente de subjuntivo.

1. pedamos . . . .

2. llouva . . . .

3. preferas . . . .

4. moráis . . . .

5. servan . . . .

6. construiamos . . . .

7. traduza . . . .

8. meda . . . .

9. soñe . . . .

10. queran . . . .

8 Encuentra el intruso.

1.	2.	3.
comáis	tengas	corras
escuchéis	hagas	sudes
digan	comas	ordene
tengas	lavéis	caliente
habla	vayas	enfriemos
durmamos	sueñes	investiguen

PRÁCTICA 6

PRETÉRITO IMPERFECTO DE INDICATIVO

1 Escribe al lado de cada forma verbal la persona correspondiente del pretérito imperfecto.

1. temíamos . . . .   **9.** saltábamos . . . .

2. acampabais . . . .   **10.** teñíais . . . .

3. tosías . . . .   **11.** rodeabas . . . .

4. acariciaban . . . .   **12.** bostezábamos . . . .

5. abrían . . . .   **13.** cocía . . . .

6. esculpíamos . . . .   **14.** atajabas . . . .

7. peinábamos . . . .   **15.** investigabais . . . .

8. instruías . . . .   **16.** discutían . . . .

2 Completa los huecos con los verbos que faltan.

SER
Yo . . . .
Tú . . . . _eras_ . . . .
Él / ella / usted . . . .
Nosotros /-as . . . .
Vosotros /-as . . . .
Ellos /-as / ustedes . . . .

IR
Yo . . . .
Tú . . . .
Él / ella / usted . . . . . . _iba_ . . . . . .
Nosotros /-as . . . .
Vosotros /-as . . . .
Ellos /-as / ustedes . . . .

3 Busca los errores y corrígelos.

1. cabía . . . .   **6.** recogébamos . . . .

2. protestabas . . . .   **7.** regaba . . . .

3. bebeban . . . .   **8.** correban . . . .

4. pronunciabais . . . .   **9.** escalabais . . . .

5. aparcaba . . . .   **10.** tosebas . . . .

4 **Escribe y busca en la sopa de letras las siguientes formas verbales.**

1. acunar (vosotros /-as) . . . .

2. soplar (nosotros /-as) . . . .

3. ser (ellos /-as / ustedes) . . . .

4. mecer (él / ella / usted) . . . .

5. abanicar (tú) . . . .

6. barrer (tú) . . . .

7. llorar (ellos /-as / ustedes) . . . .

8. ir (nosotros /-as) . . . .

9. ser (vosotros /-as) . . . .

10. seguir (vosotros /-as) . . . .

A	C	U	N	A	B	A	I	S	W	C	U	S	H	L	M
B	E	G	A	Y	I	M	P	O	J	N	F	E	O	H	A
A	E	M	R	C	Q	E	Y	P	I	P	E	B	I	Q	W
N	S	S	E	S	F	T	U	L	L	O	R	A	B	A	N
I	V	M	A	C	M	L	P	A	V	E	A	Ñ	A	C	X
C	N	S	V	E	F	U	O	B	S	E	I	N	M	U	M
A	H	K	P	Q	A	F	B	A	D	U	S	Ñ	O	A	F
B	A	R	R	I	A	S	C	M	X	C	I	A	S	I	H
A	A	D	V	B	U	O	L	O	D	G	E	T	I	P	B
S	H	I	Y	P	Ñ	E	A	S	E	G	U	I	A	I	S

PRÁCTICA 7

FUTURO Y CONDICIONAL

1 **Escribe si las siguientes formas verbales pertenecen al condicional, futuro o pretérito imperfecto.**

Ejemplo: *sacudiré → futuro*
comía → pretérito imperfecto
bebería → condicional

1. aparcaré . . . .
2. encontrarían . . . .
3. encendíamos . . . .
4. barrerían . . . .
5. atajaremos . . . .
6. soplarías . . . .
7. corríais . . . .
8. moverás . . . .
9. abrigaréis . . . .
10. rompían . . . .
11. nevaría . . . .
12. repasaremos . . . .
13. aplaudíais . . . .
14. tronará . . . .
15. colgaríais . . . .
16. tendía . . . .
17. resumirías . . . .
18. reservarás . . . .
19. buscarían . . . .
20. pegaréis . . . .

2 **Relaciona con flechas la raíz del verbo con su infinitivo.**

1. har-   salir
2. dir-   tener
3. pon-   hacer
4. cabr-   decir
5. pod-   venir
6. sabr-   querer
7. tendr-   caber
8. querr-   poder
9. saldr-   saber
10. vendr-   haber
11. habr-   poner

3 **Corrige los errores que encuentres.**

Ejemplo: *caberán → cabrán*

1. Salderé . . . .
2. Vendrás . . . .
3. Tenirás . . . .
4. Cabremos . . . .
5. Pondré . . . .
6. Vendréis . . . .
7. Decirá . . . .
8. Podrás . . . .
9. Haceréis . . . .
10. Querréis . . . .

4 **Rellena los huecos con la forma verbal de futuro o condicional en la persona que le corresponda.**

Ejemplo: *Raúl (tener, condicional) tendría quince años cuando se fue a Londres.*

1. Yo (salir, condicional) . . . . esta noche pero me duele mucho la cabeza.

2. Pedro nos prometió que (venir, condicional) . . . . a la fiesta.

3. El profesor nos (decir, futuro) . . . . la nota del examen mañana.

4. Los aviones (llegar, futuro) . . . . aproximadamente con 20 minutos de retraso.

5. La asistenta (planchar, futuro) . . . . esta tarde la ropa de toda la semana.

6. El próximo sábado (haber, futuro) . . . . una cena para celebrar tu ascenso.

7. Marta me dijo que (comprar, condicional) . . . . entradas para el partido.

8. Mi coche es muy pequeño; así que probablemente no (caber, futuro) . . . . todos.

9. Antonio y Eva aseguraron que (venir, condicional) . . . . a la excursión del jueves.

10. ¿(Poder, condicional, vosotros /-as) . . . . ayudarnos con la mudanza este fin de semana?

5 **Relaciona con flechas cada forma del futuro o del condicional con su persona.**

1. plancharás

2. soñaré

3. moverías

4. romperíamos

5. saltaremos

6. correréis

7. mordería

8. responderá

9. abrirán

10. besaríais

11. nadaréis

12. flotaré

13. abrazarían

14. cultivaremos

Yo
Tú
Él / ella / usted
Nosotros /-as
Vosotros /-as
Ellos /-as / ustedes

PRÁCTICA 8

PRETÉRITOS INDEFINIDOS IRREGULARES

1 Relaciona la raíz del verbo con su infinitivo.

1. cup-	decir
2. vin-	querer
3. estuv-	venir
4. dij-	caber
5. pud-	haber
6. hic-	hacer
7. pus-	poder
8. quis-	saber
9. sup-	estar
10. hub-	poner

2 Completa los huecos de los cuadros en pretérito indefinido.

HACER
Yo . . . .
Tú . . . .
Él / ella / usted . . . . . *hizo* . . . . .
Nosotros /-as . . . .
Vosotros /-as . . . .
Ellos /-as / ustedes . . *hicieron* . . .

DECIR
Yo . . . . *dije* . . . .
Tú . . . .
Él / ella / usted . . . .
Nosotros /-as . . . . . *dijimos* . . . . .
Vosotros /-as . . . .
Ellos /-as / ustedes . . . .

PODER
Yo . . . . *pude* . . . .
Tú . . . .
Él / ella / usted . . . .
Nosotros /-as . . . . *pudimos* . . . . .
Vosotros /-as . . . .
Ellos /-as / ustedes . . . .

PONER
Yo . . . .
Tú . . . .
Él / ella / usted . . . . . *puso* . . . . .
Nosotros /-as . . . . *pusimos* . . . . .
Vosotros /-as . . . .
Ellos /-as / ustedes . . . .

TENER	
Yo . . . . *tuve*	
Tú	
Él / ella / usted	
Nosotros /-as . . . . *tuvimos*	
Vosotros /-as	
Ellos /-as / ustedes	

SABER	
Yo	
Tú . . . . *supiste*	
Él / ella / usted	
Nosotros /-as	
Vosotros /-as . . . . . *supisteis*	
Ellos /-as / ustedes	

QUERER	
Yo	
Tú	
Él / ella / usted . . . . . *quiso*	
Nosotros /-as	
Vosotros /-as . . . . . *quisisteis*	
Ellos /-as / ustedes	

SER / IR	
Yo	
Tú	
Él / ella / usted . . . . . *fue*	
Nosotros /-as	
Vosotros /-as	
Ellos /-as / ustedes . . . *fueron* . . .	

3 **Escribe los verbos en la persona que se indica del pretérito indefinido y completa con ellos el crucigrama.**

1. dormir (yo). . . . .
2. hacer (ellos) . . . .
3. morir (ellos). . . . .
4. repetir (ella) . . . .
5. vestir (vosotros) . . . .
6. andar (ella) . . . .
7. oír (usted) . . . .
8. traer (yo) . . . .
9. traer (ustedes) . . . .
10. ser (usted) . . . .
11. saber (nosotros) . . . .
12. haber (él) . . . .
13. estar (yo) . . . .
14. traducir (yo) . . . .
15. hacer (él) . . . .

16. seguir (él) . . . .
17. reír (ella) . . . .
18. ver (él) . . . .
19. venir (yo) . . . .
20. caber (ella) . . . .
21. ver (yo) . . . .
22. venir (usted) . . . .
23. dar (vosotros) . . . .
24. seguir (ellos) . . . .
25. reír (yo) . . . .
26. saber (él) . . . .
27. querer (ella) . . . .
28. traducir (ellas) . . . .
29. caer (ella) . . . .
30. poner (yo) . . . .

4 Escribe las formas que faltan.

PEDIR		REPETIR	
Yo		Yo	
Tú . . . . *pediste*		Tú . . . . *repetiste*	
Él / ella / usted		Él / ella / usted	
Nosotros /-as . . . . . *pedimos*		Nosotros /-as . . . . . *repetimos* . . .	
Vosotros /-as		Vosotros /-as	
Ellos /-as / ustedes		Ellos /-as / ustedes	

MEDIR	
Yo	
Tú	
Él / ella / usted . . . . *midió*	
Nosotros /-as	
Vosotros /-as . . . . *medisteis*	
Ellos /-as / ustedes	

VESTIR	
Yo . . . . *vestí*	
Tú . . . . *vestiste*	
Él / ella / usted	
Nosotros /-as	
Vosotros /-as	
Ellos /-as / ustedes	

SERVIR	
Yo	
Tú . . . . *serviste*	
Él / ella / usted	
Nosotros /-as . . . . *servimos*	
Vosotros /-as	
Ellos /-as / ustedes	

DORMIR	
Yo . . . . *dormí*	
Tú	
Él / ella / usted	
Nosotros /-as	
Vosotros /-as	
Ellos /-as / ustedes . *durmieron* . .	

CORREGIR	
Yo . . . . *corregí*	
Tú . . . . *corregiste*	
Él / ella / usted	
Nosotros /-as	
Vosotros /-as	
Ellos /-as / ustedes	

SEGUIR	
Yo . . . . *seguí*	
Tú	
Él / ella / usted . . . . *siguió*	
Nosotros /-as	
Vosotros /-as	
Ellos /-as / ustedes	

5 **Completa los huecos con pretérito indefinido.**

1. No (hacer, yo) . . . . nada ayer, porque no (tener, yo) . . . . tiempo.

2. Mis amigos no (venir) . . . . porque estaba lloviendo a mares.

3. Ellas no (poder) . . . . regalarme nada porque estaban sin blanca.

4. Mi tío (traer) . . . . unas maletas muy pesadas.

5. Marcos no (dormir) . . . . en casa el sábado pasado.

6. Los ladrones (mentir) .... ante el juez.

7. Su marido (morir) .... de un ataque al corazón.

8. Él (conducir) .... a Barcelona de un tirón.

9. El rotulador (caerse) .... al suelo.

10. Los clientes (pedir) .... la cuenta al camarero.

11. Tú (traducir) .... doce páginas en un día.

12. Los ladrones (huir) .... de la policía a toda velocidad.

13. Los pasajeros (seguir) .... las indicaciones de la azafata.

14. El ingeniero (construir) .... el puente colgante.

15. La profesora (repetir) .... la explicación con más claridad.

16. El director (despedir) .... al empleado.

17. El profesor (corregir) .... los ejercicios en la pizarra.

18. Ellos (sentir) .... mucho haber perdido el avión.

19. Las gimnastas (conseguir) .... ganar el primer premio.

20. Yo (vestirse) .... rápidamente para acudir a la cita.

21. Tú (preferir) .... quedarte en casa descansando.

22. Los niños (divertirse) .... mucho en la piscina.

23. Mi ahijado no (querer) .... aceptar mi regalo.

24. Mi abuelo no (oír) .... la explosión porque está un poco sordo.

25. Los invitados (leer) .... unos poemas.

26. Mis sobrinos (dormir) .... durante todo el viaje.

---

6 **Completa con *e, i* y *o, u* las siguientes formas verbales.**

1. p __ rdimos	7. imp __ dió	13. s __ rvimos
2. h __ rió	8. d __ rmiste	14. m __ dió
3. cons __ guisteis	9. r __ ñí	15. s __ rví
4. desp __ dió	10. v __ stió	16. d __ rmió
5. el __ giste	11. sonr __ ísteis	17. cons __ guieron
6. rep __ tieron	12. cons __ ntieron	18. r __ í

19. m __ diste

20. r __ ñó

21. el __ gieron

22. d __ rmí

23. m __ rieron

24. pers __ guimos

25. s __ ntiste

26. desp __ dieron

27. cons __ ntí

28. m __ rimos

29. s __ guí

30. div __ rtisteis

7 **Relaciona el contenido de cada nube con la característica que lo define.**

1.
cupieron
supiste
pude
dijeron
hizo

2.
comió
bebí
navegasteis
cotilleamos
insultaron

3.
habló
subió
hizo
vino
repasó

a) irregularidad total

b) 3.ª persona del singular

c) irregularidad e > i / o > u

d) irregularidad i > y

e) regulares

4.
durmieron
sintió
midieron
serví
murió

5.
creíste
oyeron
huyeron
intuiste
caíste

PRÁCTICA 9

PRETÉRITO IMPERFECTO DE SUBJUNTIVO

1 Completa los siguientes verbos con las terminaciones del pretérito imperfecto de subjuntivo.

REGALAR
Yo . . . . . *regalara / regalase* . . . . .
Tú . . . .
Él / ella / usted . . . .
Nosotros /-as . . . .
Vosotros /-as . . . .
Ellos /-as / ustedes . . . .

CORRER
Yo . . . . . *corriera / corriese* . . . . .
Tú . . . .
Él / ella / usted . . . .
Nosotros /-as . . . .
Vosotros /-as . . . .
Ellos /-as / ustedes . . . .

SUBIR
Yo . . . . . *subiera / subiese* . . . . .
Tú . . . .
Él / ella / usted . . . .
Nosotros /-as . . . .
Vosotros /-as . . . .
Ellos /-as / ustedes . . . .

2 Escribe al lado de cada forma verbal la persona que le corresponde.

1. posarais . . . .   **6.** denunciáramos . . . .

2. recogieran . . . .   **7.** imprimiera . . . .

3. lloraseis . . . .   **8.** alumbraseis . . . .

4. descalzase . . . .   **9.** adivinarais . . . .

5. masticases . . . .   **10.** tragases . . . .

-180-

11. teclearan . . . .

12. derrochara . . . .

13. surgieran . . . .

14. añadiéramos . . . .

15. deambulasen . . . .

16. huyera . . . .

17. saltáramos . . . .

18. atajáramos . . . .

3 A partir de la 3.ª persona del plural del pretérito indefinido forma las personas de plural del pretérito imperfecto de subjuntivo.

	Nosotros /-as	Vosotros /-as	Ellos /-as / ustedes
1. decir → dij-eron	. . . .	. . . .	. . . .
2. estar → estuv-ieron	. . . .	. . . .	. . . .
3. dar → d-ieron	. . . .	. . . .	. . . .
4. hacer → hic-ieron	. . . .	. . . .	. . . .
5. venir → vin-ieron	. . . .	. . . .	. . . .
6. querer → quis-ieron	. . . .	. . . .	. . . .
7. poder → pud-ieron	. . . .	. . . .	. . . .
8. saber → sup-ieron	. . . .	. . . .	. . . .
9. servir → sirv-ieron	. . . .	. . . .	. . . .
10. poner → pus-ieron	. . . .	. . . .	. . . .
11. ver → v-ieron	. . . .	. . . .	. . . .
12. tener → tuv-ieron	. . . .	. . . .	. . . .
13. huir → huy-eron	. . . .	. . . .	. . . .
14. caer → cay-eron	. . . .	. . . .	. . . .
15. dormir → durm-ieron	. . . .	. . . .	. . . .
16. ser / ir → fu-eron	. . . .	. . . .	. . . .

4 Corrige los errores que encuentres.

1. produjiesen . . . .

2. durmieses . . . .

3. posieras . . . .

4. caieseis . . . .

5. huyéramos . . . .

6. pudieseis . . . .

7. oiesen . . . .

8. trajera . . . .

9. tradujiese . . . .

10. fueran . . . .

11. minteran . . . .

12. riesen . . . .

13. mediésemos . . . .

14. supiéramos . . . .

PRÁCTICA 10

GERUNDIO

1 Construye los gerundios de los siguientes verbos incompletos.

1. aconsej- . . . .
2. resist- . . . .
3. ventil- . . . .
4. respond- . . . .
5. almorz- . . . .

6. sub- . . . .
7. cos- . . . .
8. rez- . . . .
9. debat- . . . .
10. luch- . . . .

2 Escribe la letra que falta en los siguientes gerundios irregulares: *i, u* e *y.*

1. d __ rmiendo
2. s __ rviendo
3. ca __ endo
4. s __ guiendo

5. destru __ endo
6. r __ endo
7. m __ riendo
8. el __ giendo

9. o __ endo
10. corr __ giendo

3 Busca el intruso que se ha colado en cada globo.

1.
Recitando
Exigiendo
Remando
Suspirando

2.
Sirviendo
Vistiendo
Resistiendo
Riendo

3.
Cayendo
Sorprendiendo
Yendo
Instruyendo

4 Escribe la forma de gerundio de los verbos de las siguientes frases.

1. Nos pillaron (robar) . . . .
   en el supermercado.

2. Se ha tirado (dormir) . . . .
   todo el día.

3. Se pasó toda la noche (tiritar)
   . . . . de frío.

4. Lleva una semana (diluviar)
   . . . . sin parar.

5. Últimamente no estás (rendir)
   . . . . en el trabajo.

6. Estamos (construir) . . . .
   una biblioteca.

7. El avión está (caer) . . . .
   en picado.

8. Pepe anda (murmurar)
   . . . . de todo el mundo.

9. Se estaban (reír) . . . . de
   sus chistes.

10. Mi madre está (leer) . . . .
    el libro que le regalé.

PRÁCTICA 11

1 Completa el cuadro con las formas del verbo *haber.*

REMAR		
Yo	*he*	remado
Tú	....	remado
Él / ella / usted	....	remado
Nosotros /-as	*ha*	remado
Vosotros /-as	....	remado
Ellos /-as / ustedes	*han*	remado

RESISTIR		
Yo	....	resistido
Tú	*has*	resistido
Él / ella / usted	....	resistido
Nosotros /-as	....	resistido
Vosotros /-as	....	resistido
Ellos /-as / ustedes	*han*	remado

2 Escribe el infinitivo de los siguientes participios irregulares.

1. roto ....

2. escrito ....

3. vuelto ....

4. puesto ....

5. abierto ....

6. descubierto ....

7. hecho ....

8. visto ....

9. dicho ....

10. resuelto ....

11. cubierto ....

12. muerto ....

3 Completa con las formas del pretérito perfecto.

1. Mi primo aún no me (devolver) .... el libro de Coelho.

2. El ordenador (estropearse) .... esta tarde.

3. Los bancos no (abrir) .... hoy.

4. Los sindicatos (resolver) .... la huelga de trenes.

5. Mis amigos y yo (volver) .... a las tantas esta noche.

6. El perro (romper) .... el florero jugando.

7. Esta mañana (ponerse, yo) .... el vaquero negro.

8. El arqueólogo (descubrir) .... una nueva tumba en Perú.

9. ¿Todavía no (ver, vosotros /-as) .... el musical *Cats*?

10. No (hacer, yo) .... nada de lo que me dijiste.

4 Completa con las formas del pretérito perfecto de subjuntivo.

LLEGAR		
Yo	....	.....llegado.....
Tú	.....hayas.....	....
Él / ella / usted	.....haya.....	....
Nosotros /-as	....	.....llegado.....
Vosotros /-as	....	.....llegado.....
Ellos /-as / ustedes	.....hayan.....	....

CRECER		
Yo	.....haya.....	....
Tú	....	.....crecido.....
Él / ella / usted	....	.....crecido.....
Nosotros /-as	.....hayamos.....	....
Vosotros /-as	.....hayáis.....	....
Ellos /-as / ustedes	....	.....crecido.....

5 **Completa las siguientes frases con las formas del pretérito perfecto de subjuntivo.**

1. Es muy extraño que los taxistas (hacer) .... huelga.

2. No saldréis hasta que no (resolver, vosotros)............................. el problema.

3. Aunque (decir, él) .... la verdad no le creerán.

4. Es curioso que (volver, vosotros) ....…........... tan pronto.

5. Hace calor, es normal que (abrir, tú) .... la ventana.

6. Espero que te (ponerse, tú) .... el pañuelo de seda.

7. Confiamos en que la policía (disolver) ....…............ la manifestación.

8. Devuélveme la película cuando la (ver, tú) ....

9. Es una pena que (romper, vosotros) .... vuestra relación.

10. Siento mucho que tus peces (morirse, ellos) ....

Índice alfabético de verbos

* La -i- desaparece en la 3.ª pers. pl. del pretérito indefinido y pretérito imperfecto de subjuntivo.

N

O

[1] Carece de formas de futuro, condicional e imperativo.

Soluciones

PRÁCTICA I

1. 1. ellos /-as / ustedes; 2. nosotros /-as; 3. yo; 4. él /ella / usted; 5. yo; 6. vosotros /-as; 7. ellos /-as / ustedes; 8. yo; 9. vosotros /-as; 10. tú; 11. ellos /-as / ustedes; 12. vosotros /-as; 13. nosotros /-as; 14. tú; 15. él / ella / usted; 16. ellos /-as / ustedes; 17. él / ella / usted; 18. ellos /-as / ustedes; 19. nosotros /-as; 20. tú.

2. 1. luchamos; 2. levantamos; 3. toca; 4. abren; 5. besáis; 6. soplan; 7. escribís; 8. insulta; 9. sudas; 10. comprendo; 11. laváis; 12. ayudo; 13. aplaudís; 14. veo; 15. coses.

```
F G H J J J I N S U L T A F
A L K U I F R R U O A E R D
C U E N A H J Y D P V F G G
S C L V A D G L A L A D H A
X H O T A U N I S I I C E P
F A B R E N I U H A S N S L
G M A S D F T O C A P H C A
O O F G T I O A N E L A R U
U S O P L A N G M H K E I D
Q J I O N B D A W O E R B I
C O S E S T A J B E S A I S
A D F G H J V J A D F H S H
A Y U D O I E U M J A A G J
F T H L O C O M P R E N D O
```

3. 1. hago; 2. salgo; 3. digo; 4. quepo; 5. pongo; 6. vengo; 7. doy; 8. traigo; 9. tengo; 10. oigo; 11. caigo; 12. voy; 13. soy; 14. estoy; 15. sé.

4. 1. hacer; 2. salir; 3. decir; 4. caber; 5. poner; 6. venir; 7. dar; 8. traer; 9. tener; 10. oír; 11. caer; 12. ir; 13. ser; 14. estar; 15. saber.

5. 1. pongo; 2. traigo; 3. voy; 4. digo; 5. Estoy; 6. tengo; 7. sé; 8. Vengo.

6. CAER: caigo, cae, caemos; CABER: quepo, cabes, cabe, cabéis; OÍR: oigo, oyes, oímos, oís; DAR: doy, das, dais; HACER: hago, hacéis, hacen; SALIR: salgo, sale, salimos, salen.

PRÁCTICA 2

1. 1. muerdo; 2. cierran; 3. empiezas; 4. despierta; 5. vuelven; 6. mienten; 7. sueñas; 8. meriendo; 9. enciende; 10. nieva; 11. duelen; 12. pierdes; 13. calientas; 14. prueba; 15. cuento; 16. duermen; 17. encuentro; 18. vuelas; 19. prefieren; 20. tiemblo; 21. truena; 22. mueres; 23. siente; 24. resuelven; 25. consienten; 26. defiendo; 27. vierte; 28. hieren.

2. 1. muerda; 2. cierren; 3. empieces; 4. despierte; 5. vuelvan; 6. mientan; 7. sueñes; 8. meriende; 9. encienda; 10. nieve; 11. duelan; 12. pierdas; 13. calientes; 14. pruebe; 15. cuente; 16. duerman; 17. encuentre; 18. vueles; 19. prefieran; 20. tiemble; 21. truene; 22. mueras; 23. sienta; 24. resuelvan; 25. consientan; 26. defienda; 27. vierta; 28. hieran.

3. 1. usted; 2. vosotros /-as; 3. tú; 4. ustedes; 5. nosotros /-as; 6. tú; 7. tú; 8. nosotros /-as; 9. tú; 10. ustedes; 11. ustedes; 12. tú; 13. usted; 14. usted; 15. vosotros /-as; 16. tú; 17. vosotros /-as; 18. ustedes.

4. 1. cuento; 2. sobrevuela; 3. nos acordamos; 4. cuelga; 5. se sientan; 6. meriendan; 7. perdéis; 8. tiende; 9. muerde; 10. gobierna; 11. atravesamos; 12. vuelan; 13. envuelve; 14. se siente;

15. se divierten; 16. miente; 17. muere;
18. consiento.

PRÁCTICA 3

1. Regulares: subir, repartir, abrir, insistir, confundir.
   Irregularidad e > i: pedir, repetir, teñir, reír, medir.

2. REÑIR: riño, riñes, riñe, reñimos, reñís, riñen; REPETIR: repito, repites, repite, repetimos, repetís, repiten; SERVIR: sirvo, sirves, sirve, servimos, servís, sirven.

3. 1. conozco; 2. deduzco; 3. ofrezco; 4. seduzco; 5. merezco; 6. conduzco; 7. nazco; 8. traduzco.

4. CONOCER: conozco, conoces, conoce, conocéis; OFRECER: ofrezco, ofrece, ofrecemos, ofrecen; SEDUCIR: seduzco, seduces, seducimos, seducís; NACER: nazco, naces, nacemos, nacéis, nacen.

5. 1. huyo; 2. construimos; 3. instruís; 4. concluyo; 5. destruyen; 6. distribuye; 7. intuyes; 8. disminuís; 9. concluís; 10. huyes; 11. construyo; 12. instruyes; 13. disminuyen; 14. destruimos; 15. distribuyen; 16. intuimos.

6. CONCLUIR: concluyo, concluyes, concluye, concluimos, concluís, concluyen; DISMINUIR: disminuyo, disminuyes, disminuye, disminuimos, disminuís, disminuyen; HUIR: huyo, huyes, huye, huimos, huís, huyen; INTUIR: intuyo, intuyes, intuye, intuimos, intuís, intuyen.

7. 1. destruyen; 2. pide; 3. se tiñe; 4. intuyes; 5. conozco; 6. concluís; 7. ofrezco; 8. se viste; 9. nos divertimos; 10. seduce; 11. mide; 12. riñe; 13. aborrezco; 14. se visten; 15. construyen; 16. merezco; 17. repiten; 18. nacen; 19. sirven; 20. pides.

8. 1. 1.ª persona irregular; 2. o > ue; 3. c > zc; 4. e > ie; 5. e > i; 6. -uir.

PRÁCTICA 4

1. reparte / no repartas; 2. coloreemos / no coloreemos; 3. esconda / no esconda; 4. discurrid / no discurráis; 5. dispare / no dispare; 6. frena / no frenes; 7. aliñad / no aliñéis; 8. crean / no crean; 9. saltad / no saltéis; 10. limpien / no limpien; 11. hunde / no hundas; 12. cosamos / no cosamos; 13. parta / no parta; 14. aplaudid / no aplaudáis.

2. 1. haz; 2. pon; 3. di; 4. ve; 5. ten; 6. sal; 7. ven; 8. da; 9. oye; 10. sé.

3. 1. tú; 2. usted; 3. vosotros /-as; 4. nosotros /-as; 5. usted; 6. vosotros /-as; 7. ustedes; 8. tú; 9. tú; 10. nosotros /-as; 11. tú; 12. vosotros /-as; 13. ustedes; 14. vosotros /-as; 15. ustedes; 16. nosotros /-as.

4. 1. huela; 2. disienta; 3. mueva; 4. merienden; 5. duerma; 6. recuerde; 7. vierta; 8. sueñe; 9. vuelvan; 10. adquiera; 11. cuelguen; 12. apriete; 13. siembre; 14. suenen; 15. tiendan; 16. piense.

5. MEDIR: mida, medid, midan; MORIR: muere, muramos, morid; REÍR: ríe, ría, riamos; MERECER: merezcamos, mereced, merezcan; SERVIR: sirvamos, servid, sirvan; OFRECER: ofrece, ofrezca, ofrezcan; DORMIR: duerma, dormid, duerman; TRADUCIR: traduzca, traduzcamos, traduzcan.

6. 1. haz, haga; 2. ven, venid, vengan; 3. ten, tengan; 4. sal, salga, salid; 5. oye, oíd, oigan; 6. pon, ponga, poned; 7. di, decid, digan; 8. da, dé, dad; 9. sé, sea, sean; 10. ten, tenga, tened.

7. 1. tengamos, 2. poned; 3. vengamos; 4. haz; 5. vayan; 6. demos; 7. decid; 8. ten; 9. vengan; 10. tened; 11. sal; 12. oigamos; 13. ve; 14. salgan.

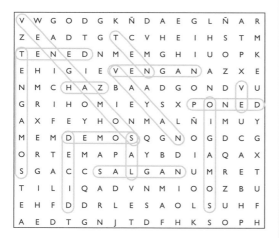

8. haz; entre; sal; id; salid; adivine; pon; nadad; oíd; ría.

PRÁCTICA 5

1. 1. atraviese; 2. envuelva; 3. quieran; 4. pruebes; 5. llueva; 6. empiece; 7. adquieras;

8. muerdan; 9. vuele; 10. friegue; 11. viertas; 12. cuenten; 13. acierte; 14. comiencen; 15. huelan; 16. suene; 17. meriendes; 18. prefieras; 19. mueva; 20. despiertes.

2. 1. nosotros /-as, vosotros /-as; 2. yo, tú, él / ella / usted, ellos /-as / ustedes; 3. yo, tú, él / ella / usted, ellos /-as / ustedes; 4. nosotros /-as, vosotros /-as; 5. yo, tú, él / ella / usted, ellos /-as / ustedes; 6. nosotros /-as, vosotros /-as; 7. nosotros /-as, vosotros /-as; 8. yo, tú, él / ella / usted, ellos /-as / ustedes.

3. 1. venir; 2. estar; 3. ir; 4. saber; 5. dar; 6. hacer; 7. haber; 8. caber.

4. REPETIR: repita, repitas, repita, repitamos, repitáis, repitan; SERVIR: sirva, sirvas, sirva, sirvamos, sirváis, sirvan; CONOCER: conozca, conozcas, conozca, conozcamos, conozcáis, conozcan; CONSTRUIR: construya, construyas, construya, construyamos, construyáis, construyan; DEDUCIR: deduzca, deduzcas, deduzca, deduzcamos, deduzcáis, deduzcan; HUIR: huya, huyas, huya, huyamos, huyáis, huyan; INTUIR: intuya, intuyas, intuya, intuyamos, intuyáis, intuyan; PRODUCIR: produzca, produzcas, produzca, produzcamos, produzcáis, produzcan.

5. 1. haga; 2. salga; 3. diga; 4. ponga; 5. venga; 6. tenga; 7. caiga; 8. traiga; 9. oiga; 10. vea.

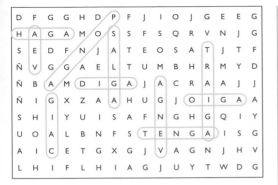

6. 1. hagamos (1.ª p. pl.); 2. hayas (2.ª p. sg.); 3. des (2.ª p. sg.); 4. digáis (2.ª p. pl.); 5. deis (2.ª p. pl.); 6. pongamos (1.ª p. pl.); 7. salgan (3.ª p. pl.); 8. oiga (1.ª, 3.ª p. sg.); 9. leáis (2.ª p. pl.); 10. veas (2.ª p. sg.); 11. caigamos (1.ª p. pl.); 12. gasten (3.ª p. pl.); 13. vayan (3.ª p. pl.); 14. salgáis (2.ª p. pl.); 15. estemos (1.ª p. pl.); 16. hagas (2.ª p. sg.).

7. 1. pidamos; 2. llueva; 3. prefieras; 4. muráis; 5. sirvan; 6. construyamos; 7. traduzca; 8. mida; 9. sueñe; 10. quieran.

8. 1. habla (no es subjuntivo); 2. lavéis (es 2.ª p. plural); 3. caliente (es irregular).

PRÁCTICA 6

1. 1. nosotros /-as; 2. vosotros /-as; 3. tú; 4. ellos /-as / ustedes; 5. ellos/-as / ustedes; 6. nosotros /-as; 7. nosotros /-as; 8. tú; 9. nosotros /-as; 10. vosotros /-as; 11. tú; 12. nosotros /-as; 13. yo, él / ella / usted; 14. tú; 15. vosotros /-as; 16. ellos /-as / ustedes.

2. SER: era, era, éramos, erais, eran; IR: iba, ibas, íbamos, ibais, iban.

3. 3. bebían; 6. recogíamos; 8. corrían; 10. tosías.

4. 1. acunabais; 2. soplábamos; 3. eran; 4. mecía; 5. abanicabas; 6. barrías; 7. lloraban; 8. íbamos; 9. erais; 10. seguíais.

PRÁCTICA 7

1. 1. futuro; 2. condicional; 3. pretérito imperfecto; 4. condicional; 5. futuro; 6. condicional; 7. pretérito imperfecto; 8. futuro; 9. futuro; 10. pretérito imperfecto; 11. condicional; 12. futuro; 13. pretérito imperfecto; 14. futuro; 15. condicional; 16. pretérito imperfecto; 17. condicional; 18. futuro; 19. condicional; 20. futuro.

2. 1. hacer; 2. decir; 3. poner; 4. caber; 5. poder; 6. saber; 7. tener; 8. querer; 9. salir; 10. venir; 11. haber.

3. 1. saldré; 3. tendrás; 7. dirá; 9. haréis.

4. 1. saldría; 2. vendría; 3. dirá; 4. llegarán; 5. planchará; 6. habrá; 7. compraría; 8. cabremos; 9. vendrían; 10. podríais.

5. 1. tú; 2. yo; 3. tú; 4. nosotros /-as; 5. nosotros /-as; 6. vosotros /-as; 7. yo, él / ella / usted; 8. él / ella / usted; 9. ellos /-as / ustedes; 10. vosotros /-as; 11. vosotros /-as; 12. yo; 13. ellos /-as / ustedes; 14. nosotros /-as.

PRÁCTICA 8

1. 1. caber; 2. venir; 3. estar; 4. decir;
5. poder; 6. hacer; 7. poner; 8. querer;
9. saber; 10. haber.

2. HACER: hice, hiciste, hicimos, hicisteis;
DECIR: dijiste, dijo, dijisteis, dijeron;
PODER: pudiste, pudo, pudisteis,
pudieron; PONER: puse, pusiste,
pusisteis, pusieron; TENER: tuviste,
tuvo, tuvisteis, tuvieron; SABER: supe,
supo, supimos, supieron; QUERER:
quise, quisiste, quisimos, quisieron;
SER / IR: fui, fuiste, fuimos, fuisteis.

3. 1. dormí; 2. hicieron; 3. murieron;
4. repitió; 5. vestisteis; 6. anduvo;
7. oyó; 8. traje; 9. trajeron; 10. fue;
11. supimos; 12. hubo; 13. estuve;
14. traduje; 15. hizo; 16. siguió; 17. rió;
18. vio; 19. vine; 20. cupo; 21. vi;
22. vino; 23. disteis; 24. siguieron;
25. reí; 26. supo; 27. quiso;
28. tradujeron;
29. cayó; 30. puse.

4. PEDIR: pedí, pidió, pedisteis, pidieron;
REPETIR: repetí, repitió, repetisteis,
repitieron; MEDIR: medí, mediste,

medimos, midieron; VESTIR: vistió,
vestimos, vestisteis, vistieron; SERVIR:
serví, sirvió, servisteis, sirvieron;
DORMIR: dormiste, durmió,
dormimos, dormisteis; CORREGIR:
corrigió, corregimos, corregisteis,
corrigieron; SEGUIR: seguiste,
seguimos, seguisteis, siguieron.

5. 1. hice / tuve; 2. vinieron; 3. pudieron;
4. trajo; 5. durmió; 6. mintieron;
7. murió; 8. condujo; 9. se cayó;
10. pidieron; 11. tradujiste; 12. huyeron;
13. siguieron; 14. construyó; 15. repitió;
16. despidió; 17. corrigió; 18. sintieron;
19. consiguieron; 20. me vestí;
21. preferiste; 22. se divirtieron;
23. quiso; 24. oyó; 25. leyeron;
26. durmieron.

6. 1. perdimos; 2. hirió; 3. conseguisteis;
4. despidió; 5. elegiste; 6. repitieron;
7. impidió; 8. dormiste; 9. reñí;
10. vistió; 11. sonreísteis;
12. consintieron; 13. servimos;
14. midió; 15. serví; 16. durmió;
17. consiguieron; 18. reí; 19. mediste;
20. riñó; 21. eligieron; 22. dormí;
23. murieron; 24. perseguimos;
25. sentiste; 26. despidieron;
27. consentí; 28. morimos; 29. seguí;
divertisteis.

7. 1. irregularidad total; 2. regulares; 3. 3.ª
persona del singular; 4. irregularidad vocálica e > i y o > u; 5. irregularidad i > y.

PRÁCTICA 9

1. REGALAR: regalaras / regalases, regala-
ra / regalase, regaláramos / regaláse-
mos, regalarais / regalaseis, regalaran /
regalasen; CORRER: corrieras / corrie-
ses, corriera / corriese, corriéramos /

corriésemos, corrierais / corrieseis, corrieran / corriesen; SUBIR: subieras / subieses, subiera / subiese, subiéramos / subiésemos, subierais / subieseis, subieran / subiesen.

2. 1. vosotros /-as; 2. ellos /-as / ustedes; 3. vosotros /-as; 4. yo, él / ella / usted; 5. tú; 6. nosotros /-as; 7. yo, él / ella / usted; 8. vosotros /-as; 9. vosotros /-as; 10. tú; 11. ellos /-as / ustedes; 12. yo, él / ella / usted; 13. ellos /-as / ustedes; 14. nosotros /-as; 15. ellos /-as / ustedes; 16. yo, él / ella / usted; 17. nosotros /-as; 18. nosotros /-as.

3. 1. dijéramos / dijésemos, dijerais / dijeseis, dijeran / dijesen; 2. estuviéramos / estuviésemos, estuvierais / estuvieseis, estuvieran / estuviesen; 3. diéramos / diésemos, dierais / dieseis, dieran / diesen; 4. hiciéramos / hiciésemos, hicierais / hicieseis, hicieran / hiciesen; 5. viniéramos / viniésemos, vinierais / vinieseis, vinieran / viniesen; 6. quisiéramos / quisiésemos, quisierais / quisieseis, quisieran / quisiesen; 7. pudiéramos / pudiésemos, pudierais / pudieseis, pudieran / pudiesen; 8. supiéramos / supiésemos, supierais / supieseis, supieran / supiesen; 9. sirviéramos / sirviésemos, sirvierais / sirvieseis, sirvieran / sirviesen; 10. pusiéramos / pusiésemos, pusierais / pusieseis, pusieran / pusiesen; 11. viéramos / viésemos, vierais / vieseis, vieran / viesen; 12. tuviéramos / tuviésemos, tuvierais / tuvieseis, tuvieran / tuviesen; 13. huyéramos / huyésemos, huyerais / huyeseis, huyeran / huyesen; 14. cayéramos / cayésemos, cayerais / cayeseis, cayeran / cayesen; 15. durmiéramos / durmiésemos, durmierais / durmieseis, durmieran / durmiesen; 16. fuéramos / fuésemos, fuerais / fueseis, fueran / fuesen.

4. 1. produjesen; 3. pusieras; 4. cayeseis; 7. oyesen; 9. tradujese; 11. mintieran; 13. midiésemos.

PRÁCTICA 10

1. 1. aconsejando; 2. resistiendo; 3. ventilando; 4. respondiendo; 5. almorzando; 6. subiendo; 7. cosiendo; 8. rezando; 9. debatiendo; 10. luchando.

2. 1. durmiendo; 2. sirviendo; 3. cayendo; 4. siguiendo; 5. destruyendo; 6. riendo; 7. muriendo; 8. eligiendo; 9. oyendo; 10. corrigiendo.

3. 1. exigiendo; 2. resistiendo; 3. sorprendiendo.

4. 1. robando; 2. durmiendo; 3. tiritando; 4. diluviando; 5. rindiendo; 6. construyendo; 7. cayendo; 8. murmurando; 9. riendo; 10. leyendo.

PRÁCTICA 11

1. REMAR: has remado, hemos remado, habéis remado; RESISTIR: he resistido, ha resistido, hemos resistido, habéis resistido.

2. 1. romper; 2. escribir; 3. volver; 4. poner; 5. abrir; 6. descubrir; 7. hacer; 8. ver; 9. decir; 10. resolver; 11. cubrir; 12. morir.

3. 1. ha devuelto; 2. se ha estropeado; 3. han abierto; 4. han resuelto; 5. hemos vuelto; 6. ha roto; 7. me he puesto; 8. ha descubierto; 9. habéis visto; 10. he hecho.

4. LLEGAR: Yo haya llegado. Tú hayas llegado. Él haya llegado. Nosotros hayamos llegado. Vosotros hayáis llegado. Ellos hayan llegado. CRECER: Yo haya crecido. Tú hayas crecido. Él haya crecido. Nosotros hayamos crecido. Vosotros hayáis crecido. Ellos hayan crecido.

5. 1. hayan hecho 2. hayáis resuelto 3. haya dicho 4. hayáis vuelto 5. hayas abierto 6. hayas puesto 7. haya disuelto 8. hayas visto 9. hayáis roto 10. se hayan muerto.